LE FURET

Photos: Josée Lambert

Illustrations:
Pages 11 et 12: Gravures sur bois datant environ de l'an 1600 ap. J.-C.
Page 19: Léonard de Vinci, *La dame à l'hermine*, (1490). Huile sur bois, 54,8 x 40,3 cm. Musée Czartoryski, Cracovie.
Page 20: Gravure tirée de *Historiae Animalium* de Conrad Gesner, 1551-1558.
Page 24: Les gravures de la belette, de l'hermine, de la martre et de la mouffette sont tirées de *Histoire naturelle* de Georges Louis Leclerc, comte de Buffon, 1749-1788.
Pages 27, 62, 83: Gravures tirées de *Histoire naturelle* de Georges Louis Leclerc, comte de Buffon, 1749-1788.
Pages 42, 75, 77, 95, 109, 111, 113, 151, 162: Illustrations de Michel Fleury

Catalogage avant publication de Bibliothèque et Archives Canada

Tremblay, Manon, D.M.V.

    Le furet
    (Nos amis les animaux)

    1. Furet (Animal familier). I. Titre. II. Collection.

SF459.F47T73 2005   636.976'628   C2004-941904-8

Pour en savoir davantage sur nos publications,
visitez notre site: **www.edjour.com**
Autres sites à visiter: www.edhomme.com
www.edtypo.com • www.edvlb.com
www.edhexagone.com • www.edutilis.com

12-2004

© 2005, Le Jour, éditeur,
une division du groupe Sogides

Tous droits réservés

Dépôt légal: 1er trimestre 2005
Bibliothèque nationale du Québec

ISBN 2-8904-4742-1

DISTRIBUTEURS EXCLUSIFS:

• Pour le Canada et les États-Unis:
MESSAGERIES ADP*
955, rue Amherst
Montréal, Québec H2L 3K4
Tél.: (514) 523-1182
Télécopieur: (514) 939-0406
* Filiale de Sogides ltée

• Pour la France et les autres pays:
INTERFORUM
Immeuble Paryseine, 3, Allée de la Seine
94854 Ivry Cedex
Tél.: 01 49 59 11 89/91
Télécopieur: 01 49 59 11 96
Commandes: Tél.: 02 38 32 71 00
            Télécopieur: 02 38 32 71 28

• Pour la Suisse:
INTERFORUM SUISSE
Case postale 69 - 1701 Fribourg - Suisse
Tél.: (41-26) 460-80-60
Télécopieur: (41-26) 460-80-68
Internet: www.havas.ch
Email: office@havas.ch
DISTRIBUTION: OLF SA
Z.I. 3, Corminbœuf
Case postale 1061
CH-1701 FRIBOURG
Commandes: Tél.: (41-26) 467-53-33
            Télécopieur: (41-26) 467-54-66
            Email: commande@ofl.ch

• Pour la Belgique et le Luxembourg:
INTERFORUM BENELUX
Boulevard de l'Europe 117
B-1301 Wavre
Tél.: (010) 42-03-20
Télécopieur: (010) 41-20-24
http://www.vups.be
Email: info@vups.be

Gouvernement du Québec – Programme de crédit d'impôt pour l'édition de livres – Gestion SODEC.
www.sodec.gouv.qc.ca

L'Éditeur bénéficie du soutien de la Société de développement des entreprises culturelles du Québec pour son programme d'édition.

 Le Conseil des Arts du Canada
The Canada Council for the Arts

Nous remercions le Conseil des Arts du Canada de l'aide accordée à notre programme de publication.

Nous reconnaissons l'aide financière du gouvernement du Canada par l'entremise du Programme d'aide au développement de l'industrie de l'édition (PADIÉ) pour nos activités d'édition.

nos amis les animaux

Manon Tremblay, vétérinaire

LE FURET

 le jour,
éditeur

Je dédie ce livre à mes parents, Mimi et J.A., qui m'ont inculqué l'amour des animaux. Leur appui et leurs encouragements m'ont permis de réaliser mon plus grand rêve: travailler auprès des animaux.

Je remercie sincèrement ma sœur Ann Tremblay ainsi que Daniel Moïse qui ont patiemment tapé mon texte manuscrit.

Mes remerciements vont également à Marie-Josée Beaulieu, Maude Thétrault et Marie-France Gauthier. Leurs adorables furets se sont avérés des sujets charmants lors de la séance de photographie.

Introduction

Adorable petite bête masquée, le furet domestique est devenu, ces dernières années, un des animaux de compagnie les plus appréciés. Curieux, enjoué, espiègle et rigolo cleptomane à ses heures, le furet n'en finit plus de provoquer des situations des plus hilarantes. Amical et affectueux, il se lie facilement d'amitié avec le chien ou le chat de la maison, mais attention : il voudra croquer le hamster ou le canari. C'est plus fort que lui, ses ancêtres chasseurs lui ont transmis cet héritage. Ainsi, nulle proie n'est en sécurité à ses côtés. Par ailleurs, le furet aime vivre avec ses congénères. Ensemble ils inventent des jeux et des acrobaties incroyables, s'endorment empilés les uns sur les autres. La présence d'un furet dans la maison invite au plaisir et à l'agrément.

Malheureusement, encore trop de gens considèrent le furet comme une créature sauvage et nauséabonde. Les mauvaises langues disent qu'il attaque les humains et qu'il mord. Certains croient même que si des furets s'échappaient dans la nature ils formeraient des colonies capables de dévaster la faune indigène. Ces mythes sont souvent répandus par ceux qui connaissent mal l'animal et qui n'ont pas pris la peine de se renseigner. En réalité, le furet n'est pas une créature sauvage ; il est domestiqué depuis plus de deux mille ans. Son odeur musquée n'est pas désagréable, à la condition de le faire stériliser et de respecter des règles d'hygiène semblables à celles propres au chien. Bien qu'il ait tendance à mordiller lorsqu'il est jeune, ce n'est pour lui qu'un jeu sans malice. Une bonne éducation fait disparaître facilement ce comportement. Et s'il s'échappait, ce cher furet ? Il ne pourrait pas se reproduire dans la nature s'il est stérilisé (c'est le cas de la vaste majorité des furets en

Amérique du Nord). Dans le cas contraire, il devrait s'accoupler avec un furet fugueur de l'autre sexe, chasser pour se nourrir, survivre aux prédateurs, s'adapter aux caprices de la nature et résister à l'envie incontrôlable d'aller au-devant de quelqu'un pour l'implorer de l'adopter. La vie est tellement plus douce aux côtés d'un être humain… Et puis qui pourrait résister aux yeux tristes d'un furet égaré?

Avec cet ouvrage, je souhaite donner au furet toute la considération qu'il mérite à titre d'animal de compagnie. Compagnon merveilleux doté d'un grand sens de l'humour, sa vivacité ne cessera de vous surprendre. Vous serez vite conquis! À vous maintenant de le découvrir et de l'apprécier.

CHAPITRE I

L'origine, la classification et les variétés de couleurs

L'origine

La biologie moléculaire nous permet de rechercher l'origine du furet domestique, de retrouver l'espèce de putois européen de laquelle il descend, mais à l'heure actuelle les théories se chevauchent et personne ne peut être absolument formel sur cette question. Cependant, il est raisonnable de croire que le furet domestique compte parmi ses ancêtres *Mustela eversmanni* (putois sibérien ou putois des steppes) et *Mustela putorius putorius* (putois européen). Peut-être descend-il tout simplement d'hybrides de ces deux espèces. Il existe une similitude intéressante entre le furet et le putois : leur facilité à se laisser apprivoiser. Le furet est déjà gagné d'avance, car plus de deux mille ans d'histoire le rattachent aux humains. Quant au putois, qui théoriquement est encore considéré comme un animal sauvage, il possède un petit côté amical qui peut être exploité si de très jeunes bébés (avant qu'ils aient ouvert les yeux) sont élevés par des humains. Les putois apprivoisés très jeunes demeurent généralement doux et gentils à l'âge adulte et font de bons animaux de compagnie. C'est peut-être cette qualité du putois qui, exploitée il y a fort longtemps, a donné naissance à une nouvelle espèce : le furet domestique (*Mustela putorius furo*). Par comparaison, des belettes et des visons adoptés en bas âge et nourris par des humains restent plus craintifs et recouvrent plus facilement leur caractère sauvage à l'âge adulte. En outre, ils sont beaucoup plus imprévisibles. Quelle drôle d'idée, quand même, de vouloir apprivoiser des animaux de la famille des mustélidés, réputés chasseurs et même parfois sanguinaires! On n'a qu'à penser aux ravages que peut faire une simple belette qui s'introduit dans un poulailler. Mais dans une race il y a toujours des individus exceptionnels et les premiers furets furent probablement issus de ces animaux-là. Quoi qu'il en soit, les premières personnes qui ont cru au potentiel de domestication du furet avaient vu juste. Merci à elles: comment pourrions-nous nous passer d'un si charmant animal de compagnie?

Le furet et le putois se ressemblent beaucoup physiquement, mais le putois est plus musclé et plus fort. De longues dents robustes et des mâchoires plus fortes font de lui un excellent chasseur. Un peu plus petit que le furet, le putois a des pattes proportionnellement plus longues, ce qui lui permet de grimper avec agilité. Il court très vite et peut sauter à des hauteurs inaccessibles au furet; et puis sa concentration d'esprit est meilleure, qualité essentielle pour un animal qui doit chasser pour se nourrir. Le putois est solitaire et très territorial, tandis que le furet est grégaire et amical.

Comment le putois a-t-il perdu certaines de ces caractéristiques pour finir par ressembler au furet que nous connaissons aujourd'hui? Nous l'ignorons.

Putois européen

Il est bien établi que la domestication du furet date d'il y a plus de deux mille ans. On doit à l'auteur comique grec Aristophane (448-385 av. J.-C.) la première mention écrite connue du furet. Aristophane comparait les politiciens au furet en insinuant qu'ils volent les fonds publics. On lit aussi chez Aristote (384-322 av. J.-C.) des descriptions d'animaux qui semblent être des furets. D'autres auteurs suggèrent que les Grecs et les Romains auraient été les premiers à utiliser des furets pour chasser les lapins et les rats. Strabon, par exemple, relate une terrible invasion de lapins dans les îles Baléares que les habitants ont tenté de résorber en leur lançant des furets aux trousses. D'autres mentionnent que les Égyptiens auraient été les premiers à domestiquer le furet. En Égypte, certains hiéroglyphes ressemblent étrangement à des furets, mais les experts croient qu'il s'agit plutôt de mangoustes, communes dans ces régions. Les gens les utilisaient pour chasser les serpents autour des maisons. Le mystère de la domestication du furet n'a donc pas encore été dissipé. Tout porte à croire que ce seraient les Romains et les Normands qui auraient introduit cet animal en Europe. Par ailleurs, ce sont les colons qui l'ont amené en Amérique du Nord, aux États-Unis, il y a trois siècles.

Furet

Les utilisations du furet

La chasse

La chasse aux rongeurs indésirables (dans les maisons, les fermes, sur les bateaux, etc.) semble avoir été une des premières fonctions des furets dès le début de leur domestication. Leur corps effilé et leur agilité leur permettent d'atteindre leurs proies jusque dans les endroits les plus exigus.

Le furetage ou la chasse au furet

Les furets ont été largement utilisés pour la chasse aux lapins de garenne. Elzéar Blaze (1836)[1], chasseur et écrivain, décrivit minutieusement le furetage dans *Le Chasseur au chien d'arrêt*, et Jean-Jacques Brochier (1987) reprit ce vieux récit dans son *Anthologie du lapin*.

En résumé, «fureter» signifie lâcher le furet près d'un terrier de lapins dont les bouches sont bien identifiées. Le chasseur aura pris soin d'obstruer la plupart d'entre elles, ne laissant libres que celles qu'il peut voir. Le furet pénètre dans les galeries et en déloge les lapins. Blaze rapporte que ces derniers sont si terrifiés qu'ils sortent de leur cache même s'ils savent qu'il pourrait y avoir un chasseur à l'affût. Le furet inspire au lapin une crainte viscérale. Pensez-y si vous voulez acheter un compagnon à votre furet. Ne choisissez surtout pas un lapin!

Le chasseur qui s'adonne au furetage n'a qu'à abattre les lapins à la sortie du terrier ou à les attraper au filet. Cette technique de chasse était répandue en Europe au Moyen Âge. On raconte même que des furets réussissaient parfois à capturer des lapins dans le terrier et qu'ils les dégustaient sur place pour ensuite s'endormir, repus. Le chasseur devait alors se débrouiller pour récupérer son furet délinquant. Une technique consistait à envoyer un autre furet attaché à une corde pour le localiser.

---

1. Le nom de l'auteur suivi de l'année de publication de l'article ou de l'ouvrage entre parenthèses renvoie le lecteur à la bibliographie.

Une fois le furet fautif découvert, il ne restait plus qu'à creuser pour le retirer des entrailles du terrier. Si toutefois le chasseur était un peu paresseux et surtout s'il n'était pas pressé, il bouchait tous les tunnels, sauf un, et il attendait patiemment que son cher furet se pointe le museau. Cela pouvait prendre des heures, voire une journée entière. De plus, l'homme devait faire preuve de ruse et de rapidité pour mettre la main au collet du furet, car ce chenapan, à l'esprit toujours joueur, pouvait s'amuser à entrer et sortir du trou dans une joyeuse danse. C'est probablement à la suite de telles mésaventures que des chasseurs eurent l'idée de museler leur furet[2]. Le musellement n'étant pas sécuritaire pour le furet (la muselière mal ajustée pouvait se prendre dans les racines souterraines et l'animal pouvait mourir par strangulation), cette pratique fut graduellement abandonnée.

Malgré tout, ce type de chasse était fort populaire. Il appert que Richard II[3] décréta en 1383 que l'un de ses serviteurs pouvait chasser le lapin avec des furets. Sept ans plus tard, Richard II interdit cette chasse le dimanche.

Le furetage est encore pratiqué aujourd'hui, parfois, dans certaines régions d'Europe, dont la Grande-Bretagne, mais cette chasse au lapin est interdite en Amérique.

Tout au début du XIXe siècle, les Australiens importèrent des furets dans l'espoir de contrôler la population de lapins sauvages, cheptel indésirable arrivé d'Europe des années auparavant. Les furets contribuèrent à limiter le nombre des lapins, mais ne purent s'établir durablement en Australie, car ils furent à leur tour victimes de prédateurs (renards, dingos, oiseaux de proie). En outre, le climat ne leur était pas propice. À la fin des années 1810, des furets furent introduits en Nouvelle-Zélande

---

2. Ces chasses furent décrites dans le fameux *Livre de chasse* de Gaston de Foix, duc de Nemours, dicté à un copiste de 1387 à 1389.
3. Richard II (1367-1400), roi d'Angleterre de 1377 à 1399.

dans le même but. En raison de la rareté des prédateurs et d'un climat moins rude, certains furets réussirent à survivre à l'état sauvage. On rencontre aujourd'hui, là-bas, les descendants de ces animaux. Leur réel impact sur la faune indigène est controversé, mais les furets ne semblent pas avoir eu d'influences négatives.

Le furet est un excellent chasseur. Très vigoureux, il peut maîtriser des proies plus grosses que lui. Au début du XXe siècle, le département de l'Agriculture des États-Unis recommandait l'utilisation de furets pour réguler la population de certains animaux nuisibles (ratons laveurs, spermophiles, lapins, souris, rats) dans les fermes, les greniers, etc. Un nouveau métier vit alors le jour : maître-furet. Contre rémunération, ces gens se servaient de furets pour exterminer les animaux nuisibles.

Les furets ont donc contribué à réduire significativement les populations d'animaux indésirables jusque dans les années 1940. Avec l'arrivée des poisons chimiques, le métier de maître-furet disparut aux États-Unis, mais dans plusieurs parties du monde des furets s'acquittent toujours de cette tâche.

La fourrure

En Europe, au milieu du XIXe siècle, on élevait le furet pour sa fourrure. Puis, de 1900 à 1980 environ, les États-Unis, le Canada, la Nouvelle-Zélande et l'Australie firent de même. Depuis quelques années, cet engouement a diminué et plusieurs fermes ont cessé leur production. Les amis du furet ne s'en plaindront pas !

Ferret legging

Cet ancien sport anglais, très surprenant, consistait à tolérer le plus longtemps possible un furet à l'intérieur de son pantalon, la taille et les jambes du vêtement étant bien fermées. De plus, les participants ne devaient pas porter de sous-vêtements ! Cette pratique a été abandonnée au début des années 1980.

Le dernier record date de 1983 et appartient à un homme de 72 ans du Yorkshire : il a supporté la présence d'un furet dans son pantalon pendant 5 heures et 26 minutes.

Ce sport remonte probablement au XIVe siècle. À cette époque, une loi britannique ne permettait la garde de furets qu'aux mieux nantis et à la noblesse. On estime qu'il y avait plus de furets clandestins chez les paysans que de furets légaux chez les gens aisés. Les gens cachaient ces animaux dans leur pantalon pour les transporter discrètement.

La recherche biomédicale

Les scientifiques ont utilisé le furet dans plusieurs champs de recherche depuis le début du XXe siècle (maladie de Carré, stomatite vésiculeuse, bactérie *Helicobacter pylori*, influenza humaine, physiologie de la reproduction, toxicologie, etc.). Leur oropharynx est semblable à celui des nouveau-nés humains ; les médecins l'utilisent donc pour pratiquer l'intubation endotrachéale. Cette manœuvre est nécessaire lorsqu'un nouveau-né a besoin d'aide pour respirer (on lui donne de l'oxygène par un tube introduit dans la trachée). Certains animaux ont fait progresser la science et ont sauvé des vies, certes, mais une triste réalité se cache derrière cette mission honorable : on tente parfois sur eux des expériences inutiles. Il arrive aussi qu'on utilise plus d'animaux que nécessaire. Heureusement, certains pays se sont dotés de lois et règlements pour mieux contrôler ces pratiques. Des comités de surveillance ont été mis sur pied, par exemple le Conseil canadien de protection des animaux, qui publie des statistiques impressionnantes : en 1998, au Canada seulement, les laboratoires ont utilisé 1 765 973 animaux (chiens, chats, primates, rats, souris, etc.). On peut visiter le site : www.ccac.ca.

Le transport de câbles

À plusieurs reprises, des furets ont passé des fils de téléphone dans d'étroits conduits inaccessibles aux humains. On attache les câbles au harnais du furet, qui est attiré à l'autre extrémité du conduit par des sifflements. À son arrivée, il reçoit évidemment une gâterie. Aujourd'hui, la technologie propose des options quelque peu différentes. Mais, comme ces techniques ne sont pas toujours adéquates, c'est à un furet que revient le mérite d'avoir transporté les câbles nécessaires à la transmission en direct du mariage de la princesse Diana et du prince Charles.

Il en a été de même à la veille des célébrations de l'an 2000 à Londres, alors qu'un grand concert était prévu pour le 31 décembre. Trois furets ont aidé les organisateurs à insérer dans de petites canalisations sous la scène les fils nécessaires à la retransmission télévisée de l'événement. On a dû recourir à ces animaux pour ne pas abîmer le terrain soigneusement entretenu du parc de Greenwich. En effet, il est interdit de creuser et de camoufler des fils à cet endroit.

Un animal de compagnie

La popularité du furet en tant qu'animal de compagnie ne cesse de s'accroître depuis plus d'une vingtaine d'années, ici et dans plusieurs autres pays. Au milieu des années 1990, la population de furets domestiques d'Amérique du Nord était estimée à 7 millions d'individus et elle a certainement augmenté depuis lors. Le furet, fidèle compagnon, gagne de plus en plus de cœurs. Les Japonais sont prêts à payer jusqu'à 700 $ US pour un bébé stérilisé, déglandé et vacciné provenant des fermes Marshall des États-Unis, sans compter la nourriture sèche, également importée des États-Unis, dont le prix peut atteindre 60 $ le petit sac de 3,2 kg.

Les furets célèbres

Au Moyen Âge existait déjà un engouement pour les furets. Le grand Léonard de Vinci (1452-1519) lui-même a peint sur une de ses toiles, *La dame à l'hermine*, la cousine du furet: l'hermine. On la voit, l'air sympathique, blottie dans les bras de Cecilia Gallerani. Certains croient qu'il s'agirait d'un furet, et c'est une hypothèse plausible compte tenu de la taille de l'animal. La reine Élisabeth Ire d'Angleterre (1533-1603) pose aussi fièrement avec un furet albinos à ses côtés[4]. L'immortalisation de ce mustélidé nous porte à croire que, déjà à cette époque, il occupait une place privilégiée dans la vie des gens.

La dame à l'hermine de Léonard de Vinci

Le furet était encore très populaire à la cour d'Angleterre à la fin du XIXe siècle. Il était l'animal préféré de la reine Victoria (1819-1901), qui en possédait plusieurs, tous albinos. Elle en offrait à l'occasion à de prestigieux visiteurs. D'ailleurs, la possession de cet animal était réservée aux gens dont le revenu annuel dépassait 40 shillings (environ 300 $ US). Le furet était donc l'apanage de la haute société.

---

4. Toile de Nicholas Hilliard (1547-1619).

Le furet : objet de superstition

Au XIXe siècle, les Britanniques croyaient que le furet pouvait guérir la coqueluche. La personne malade devait boire du lait à même l'écuelle où le furet lui-même avait bu.

Une insulte ou une taquinerie

Dans la populaire série américaine *M*A*S*H**, le major Frank Burns se faisait souvent traiter de *ferret face*. Était-ce l'honneur du furet ou du major qui était entaché ? Tout dépend du point de vue…

Une comptine

Un amusant jeu d'enfants consiste à tenir une corde dont les extrémités sont attachées l'une à l'autre et sur laquelle un anneau (le furet) a été enfilé. Les joueurs forment un cercle au centre duquel un enfant prend place pour chanter :

Il court, il court le furet,
Le furet du bois, Mesdames,
Il court, il court le furet,
Le furet du bois joli.
Il est passé par ici,
Il repassera par là.
Il court, il court le furet,
Le furet du bois, Mesdames,
Il court, il court le furet,
Le furet du bois joli.

Pendant que l'enfant chante, les autres font la ronde et se passent l'anneau en prenant soin de le lui dissimuler. À la fin de la comptine, l'enfant au centre du cercle doit deviner dans quelle main se trouve le « furet ». S'il le découvre, il prend la place de l'enfant démasqué et celui-ci chante à son tour ; s'il échoue, il reste au centre du cercle et le jeu recommence.

Une plante toxique portant le nom de furet

La symphorine furet blanc (*Symphoricarpos albus*), *Snowberry* en anglais, est un joli arbuste de la famille des caprifoliacées. Sa petite taille (1 à 1,80 m environ) en fait un bon choix pour agrémenter les aménagements paysagers. Mais prenez garde : bien que la plante soit intéressante et que ses fleurs en clochettes roses soient des plus jolies, les fruits blancs sont toxiques.

Différentes définitions du mot « furet »

On pourrait résumer ainsi la définition que font les dictionnaires du furet : mammifère carnivore de la famille des mustélidés (variété de putois albinos ou à demi albinos) servant souvent pour la chasse aux lapins. Cette description sommaire laisse cependant sous-entendre que le furet est toujours blanc et qu'il n'est pas un animal de compagnie, ce qui est dommage, puisque c'est son rôle le plus intéressant.

Il existe d'autres définitions, parfois surprenantes, du furet. Selon *Le Petit Robert*, un furet, au sens figuré, désigne une personne « qui cherche partout pour découvrir quelque chose ». *Le Petit Larousse* ajoute que l'on nomme furet le « jeu de société dans lequel l'un des joueurs doit deviner où se trouve un objet (le furet), passé de main en main sans qu'il l'ait vu ». Le *Dictionnaire encyclopédique Hachette*, quant à lui, précise qu'un furet est un « outil de plomberie servant à déboucher les canalisations ». En physique nucléaire, c'est un « petit conteneur propulsé à travers le cœur d'un réacteur pour soumettre un échantillon à une irradiation courte ». On y apprend même que « furet » est aussi un nom propre : François Furet (Paris 1927 – Toulouse 1997), historien français, spécialiste de la Révolution française.

Le furet apprécié partout

Le furet a su se tailler une place de choix dans le cœur des amateurs de petits animaux de compagnie. On le retrouve dans presque tous les pays du monde. Voici son appellation dans différentes langues:

anglais: *Ferret*

allemand: *Frettchen*

italien: *Furetto*

espagnol: *Hurón*

portugais: *Furäo*

finlandais: *Fretti*

russe: *Domashni Horek*

tchèque: *Fretek*

suédois: *Tam-iller*

néerlandais: *Fret*

La classification

Le furet n'est pas un rongeur mais un carnivore. Sa petite taille et sa physionomie induisent parfois les gens en erreur. Voici sa carte d'identité, c'est-à-dire sa classification scientifique:
- Classe: mammifère;
- Ordre: carnivore;
- Sous-ordre: fissipède;
- Famille: mustélidé;
- Espèce: Mustela putorius furo.

Reprenons ici chacun des éléments de cette classification:
- Mammifère: le furet possède des mamelles pour allaiter ses petits.
- Carnivore: le furet se nourrit de chair. Ses canines sont très fortes.
- Fissipède: ce groupe comprend tous les carnivores terrestres (par opposition aux pinnipèdes, groupe qui comprend les carnivores marins, par exemple le phoque).
- Mustélidé: c'est la présence de deux sacs anaux qui caractérise le mieux les représentants de cette famille. Ces sacs situés de chaque côté de l'anus contiennent un liquide très odoriférant. Plusieurs

animaux bien connus font partie des mustélidés : la belette, la martre, la zibeline, le blaireau, l'hermine, le vison, la loutre, le furet aux pieds noirs, le putois, le furet domestique, la mouffette, le carcajou (glouton) et le pékan. Le furet domestique est le seul représentant de cette famille qui n'est pas considéré comme un animal sauvage.

La grande famille des mustélidés regroupe un peu plus d'une soixantaine d'espèces carnivores ou piscivores. On retrouve ces animaux partout dans le monde sauf en Antarctique, en Australie, à Madagascar et en Nouvelle-Guinée. Ils se sont adaptés à différents modes de vie selon leur écosystème. Certains vivent au sol, dans des terriers, d'autres vivent dans les arbres ou encore en eau douce ou en eau salée. Les mustélidés se subdivisent en cinq sous-familles :

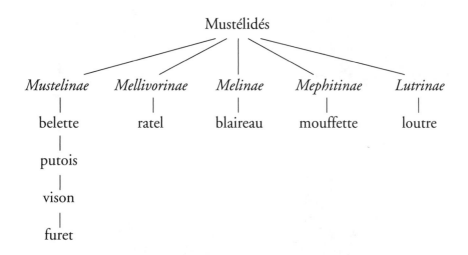

Mustélidés

Mustelinae *Mellivorinae* *Melinae* *Mephitinae* *Lutrinae*

belette ratel blaireau mouffette loutre

putois

vison

furet

Belette

Hermine

Martre

Mouffette

Zibeline

Le plus petit représentant des mustélidés est la belette commune (*Mustela nivalis*). C'est également le plus petit carnivore connu : le poids du mâle varie de 70 à 130 grammes et celui de la femelle de 40 à 75 grammes. Par opposition, la loutre de mer (*Enhydra lutris*) est le plus gros des mustélidés avec ses 45 kilogrammes.

- *Mustela putorius furo* : nom latin attribué par Linné en 1758. C'est son identification la plus précise. Traduction approximative : Mustela, qui mange des souris ; *putorius*, odorant ; *furo*, voleur. Le genre *Mustela* comprend de nombreuses espèces[5], dont *M. putorius putorius* (putois européen), *M. putorius furo* (furet domestique), *M. eversmanni* (putois sibérien ou putois des steppes), *M. nigripes* (putois d'Amérique ou furet aux pieds noirs, natif des prairies d'Amérique du Nord).

Les variétés de couleurs

Il n'existe pas de races de furets. Ceux-ci se distinguent plutôt par la couleur de leur pelage. Grâce au contrôle des croisements et à la sélection des mutants, on a pu créer de nombreuses teintes. La liste suivante n'est pas complète, néanmoins elle vous permettra d'identifier la plupart des furets. Il ne faut pas oublier que la perception des couleurs est subjective et qu'il est parfois difficile d'être formel sur ces questions. Et puis le vocabulaire varie d'un club d'amateurs à l'autre, spécialement s'ils sont de différents continents.

Pour décrire l'apparence d'un furet, on doit tenir compte de trois caractéristiques : la couleur des poils, leur distribution à travers le pelage et la présence ou l'absence de marques blanches.

------

5. Pour une liste de ces animaux, voir Lewington (2000).

La couleur des poils

Le furet possède deux types de poils : les poils de garde, longs et soyeux, donnent le lustre au pelage ; et le sous-poil, court et très dense, facilement visible quand on souffle sur l'animal, sert d'isolant thermique.

Albinos

La fourrure (poils de garde et sous-poil) est presque blanche, tirant sur le beige crème. Les yeux et le museau sont roses. Ces furets ne possèdent pas de masque.

En raison de facteurs génétiques (gène récessif), l'albinisme se caractérise par l'absence de cellules capables de produire des pigments foncés (mélanine). En vieillissant, les furets albinos ont tendance à jaunir à cause de l'activité des glandes sébacées, qui sécrètent du sébum légèrement coloré. Il adhère aux poils et les tache. La première mention connue d'un furet albinos date de 1551 : Gerner de Zurich écrivit que le furet a « la couleur de la laine tachée d'urine ». Les poils d'un furet blanc jaunissent plus rapidement lorsqu'il vit dans une maison où les gens fument beaucoup.

Argenté (*silver*)

Les poils de garde sont gris foncé et le sous-poil est crème. Plusieurs furets argentés pâlissent en vieillissant et deviennent blancs aux yeux foncés.

Blanc aux yeux foncés (*dark-eyed white*)

La fourrure (poils de garde et sous-poil) est blanche ou beige crème. Le museau est rose et non pigmenté. Ces furets blancs ne sont pas albinos : ils possèdent des cellules capables de fabriquer des pigments foncés dans les iris. Aucun masque n'est présent. Parfois, on remarque des poils colorés dispersés dans la fourrure blanche.

Furet blanc aux yeux noirs

Cannelle (*cinnamon*)

Les poils de garde sont brun-roux. Le sous-poil est préférablement d'un blond doré, mais le blanc est accepté. Les yeux ont des teintes bourgogne plus ou moins foncées. Le museau est idéalement couleur brique, mais le rose est toléré.

Champagne

Les poils de garde sont jaune-brun (c'est la version pâle de la couleur chocolat) et s'harmonisent bien avec le sous-poil crème. L'iris est bourgogne plus ou moins foncé, ou rose.

Chocolat (*chocolate*)

Les poils de garde sont chocolat au lait. Cette couleur riche contraste avec le blanc ou le doré léger du sous-poil. Les yeux sont bruns ou bourgogne. Idéalement, le museau est rosé ou beige, mais la couleur brique est aussi acceptée.

Noir (*black*)

Les poils de garde sont d'un noir intense avec des reflets bleutés et le sous-poil est blanc ou légèrement doré. Les yeux et le museau sont noirs. Chez certains individus, le museau rose est tacheté de noir.

Zibeline (*sable* ou *fitch*)

Les poils de garde sont brun foncé et le sous-poil est crème ou doré. L'iris est brun-noir. Le museau est uniformément brun ou brun tacheté. Un masque bien défini orne la face de ces furets.

Zibeline noire (*black sable*)

Une teinte brun-noir, lustrée (sans les reflets chauds du brun), caractérise les poils de garde. Le sous-poil est crème et les yeux sont foncés, bruns ou noirs. Le museau est foncé, uniforme ou tacheté. Ces individus sont masqués.

La distribution de la couleur sur le pelage

Le modèle classique

Plus de 90 % des poils de garde sont colorés et les autres sont blancs. Étant moins concentrés sur le corps que chez le modèle plein, ils donnent au furet une teinte plus pâle. Les pointes (queue, oreilles et pattes) sont légèrement plus foncées.

Le modèle plein

Dans ce cas, 100 % des poils de garde du corps et des extrémités sont colorés. Aucun poil de garde blanc ne doit être présent. La distribution de ces poils est homogène et la teinte de l'animal est uniforme. Les pointes ne sont pas plus foncées que le corps.

Le modèle à pointes colorées, ou siamois

Les pointes colorées contrastent très vivement avec le corps.

Le modèle rouan

Le pelage de ces furets est composé de 50 à 60 % de poils de garde colorés. Les autres sont blancs.

Les marques blanches

Le furet présente souvent des marques blanches sous la gorge, sur les genoux, au bout de la queue, sur l'abdomen, etc. Selon la localisation de ces marques, les furets ont un nom particulier.

Flamme (*blaze*)

Ce furet possède une longue bande blanche étroite sur le dessus de la tête. Elle naît dans la région du front, passe entre les oreilles et se termine au bas du cou, préférablement entre les épaules. Le masque coloré de ces individus est souvent incomplet. Le bout des orteils ou le pied entier de chaque patte devrait être blanc. Des taches blanches sur les genoux, au bout de la queue, sous la gorge et sur l'abdomen sont acceptables.

Mitts

Ce furet a les quatre pieds blancs. Si un seul pied est coloré, l'appellation est refusée. Le furet mitts peut aussi posséder des taches blanches sous la gorge, aux genoux ou au bout de la queue.

Panda

La tête du furet panda doit être entièrement blanche (y compris le cou et la gorge). Parfois, les poils de garde autour des yeux sont colorés. Les quatre pieds sont obligatoirement blancs. Certains individus possèdent des marques blanches aux genoux et au bout de la queue.

Chacun des modèles (classique, plein, siamois et rouan) et chacune des marques blanches (flamme, mitts et panda) existent chez les furets de couleurs suivantes : noir, chocolat, cannelle, champagne, zibeline et zibeline noire. Les combinaisons sont multiples : classique chocolat, plein chocolat, flamme chocolat, siamois cannelle, rouan cannelle, etc. Dans le cas du panda zibeline, le furet perd le masque typique de la couleur zibeline, car, chez le panda, la face est totalement blanche. Il en est de même pour les autres couleurs.

Les couleurs albinos et blanc aux yeux foncés ne sont pas présentes dans ces combinaisons. Il n'est pas logique de qualifier un furet de « panda albinos ». Les pelages blancs uniformes de ces deux couleurs ne peuvent pas avoir, par exemple, les caractéristiques du siamois ou du rouan. On parlera donc de ces couleurs sans ajouter d'autres qualificatifs.

Comme vous le constatez, décrire le pelage d'un furet peut devenir ardu et subjectif. En raison des mutations récentes, de nouvelles couleurs pastel sont apparues et seront certainement enregistrées sur les listes officielles. De plus, le furet angora au pelage très long et soyeux fait son entrée sur le marché. Il pourra lui aussi arborer une multitude de coloris.

À moins que vous n'ayez à présenter votre animal dans un concours officiel, ne soyez pas trop déçu de ne pouvoir identifier catégoriquement son apparence.

Remarques

- Les furets panda, flamme et blanc aux yeux foncés sont plus sujets aux malformations congénitales. Certains d'entre eux sont sourds.
- Les caractéristiques panda et flamme sont portées par des gènes dominants qui peuvent être introduits assez facilement chez des furets de toutes les couleurs.
- Le masque des furets peut être de différentes formes selon les individus. Il est moins apparent chez les juvéniles et les furets stérilisés.
- Ce n'est pas un pigment qui donne aux yeux du furet albinos leur couleur rouge, mais plutôt les vaisseaux sanguins de l'iris, visibles en raison de l'absence de pigments foncés.

CHAPITRE 2

L'anatomie et la physiologie du furet

Si vous voulez voir à quoi ressemble l'anatomie du furet, vous aimerez certainement consulter l'affiche en couleurs (66 cm x 50,8 cm) de Marshall Pet Products. Le squelette et les organes internes y sont bien illustrés. Cette affiche décorative se révèle un excellent outil pédagogique.

Site : www. marshallpet.com
Adresse électronique : ferrets@marshallpet.com
Téléphone : 1-800-292-3424
Télécopieur : 1-315-594-1956

Le système musculo-squelettique

Le furet est étonnamment souple et possède un talent extraordinaire pour l'évasion! Sa colonne vertébrale flexible lui permet en effet de se retourner à 180 degrés dans un endroit exigu. Et puis il peut se faufiler aisément par de petites ouvertures. En principe, si la tête passe, le reste du corps peut suivre.

Le furet subit une variation de poids saisonnière: en automne, il engraisse (les graisses sont emmagasinées dans le tissu sous-cutané et ne dérangent en rien la santé de l'animal); au printemps, il maigrit. Ainsi, la variation de poids peut mettre en cause 40 % du poids initial. Cette fluctuation est beaucoup plus marquée chez le furet non stérilisé. La situation est quelque peu différente chez le furet stérilisé en bas âge: la variation saisonnière diminue d'une année à l'autre et a tendance à devenir moins marquée avec le temps.

Remarque

- Chez le furet obèse, les graisses se logent surtout dans la cavité abdominale et nuisent à sa santé.

Le système digestif

Le furet possède un système digestif court et peu performant. Le petit intestin mesure de 180 à 200 cm (de 6 pi à 6 pi 9 po) et le gros intestin environ 10 cm (4 po). Ne possédant pas de cæcum pour digérer les fibres, il a obligatoirement besoin d'une nourriture d'excellente qualité pour combler ses besoins. En tant que carnivore, il possède une mâchoire puissante, des canines pointues et des dents tranchantes, mais, comme il ne chasse plus, il ne lui reste qu'à utiliser ses attributs dentaires pour mâchouiller des objets. Vous serez surpris de voir avec quelle facilité il peut détruire un soulier ou un jouet pourtant robuste. Le furet peut avaler toutes sortes de petits morceaux d'objets qui bloqueront ses intestins au diamètre réduit — tout objet de plus d'un centimètre cube risque d'obstruer le passage (voir chapitre 8 : Blocage intestinal).

Les dents

Le furet adulte possède 34 dents : 6 incisives inférieures, 6 incisives supérieures, 2 canines inférieures, 2 canines supérieures, 6 prémolaires inférieures, 6 prémolaires supérieures, 4 molaires inférieures et 2 molaires supérieures. Sa formule dentaire se lit ainsi : 2 (I 3/3, C 1/1, P 3/3, M 1/2) = 34.

Le petit furet naît sans dents. Celles-ci commencent à pousser quand l'animal a entre 20 et 28 jours. Ce sont les dents décidues (« dents de bébé » ou « dents de lait ») qui pointent les premières. Le furet juvénile possède 30 dents de lait : 2 (I 4/3, C 1/1, PM3/3, M 0/0) = 30. Elles tomberont éventuellement pour céder la place aux dents d'adulte permanentes.

Apparition des dents décidues		
Âge	Maxillaire	Mandibule
20 jours	canines	canines
	3e prémolaire	3e prémolaire
	4e prémolaire	4e prémolaire
28 jours	4e incisive*	4e incisive*
	2e prémolaire	2e prémolaire

* Les 1re, 2e et 3e incisives sont présentes mais ne sont pas visibles: elles demeurent sous l'épiderme de la gencive.

Apparition des dents permanentes		
Âge	Maxillaire	Mandibule
46 jours	1re incisive	1re incisive
	2e incisive	2e incisive
50 jours	canines	canines
		1re molaire
53 jours	1re molaire	
54 jours	3e incisive	
60 jours	2e prémolaire	2e prémolaire
	3e prémolaire	
	4e prémolaire	
67 jours		3e prémolaire
68 jours		3e incisive
74 jours		4e prémolaire
		2e molaire

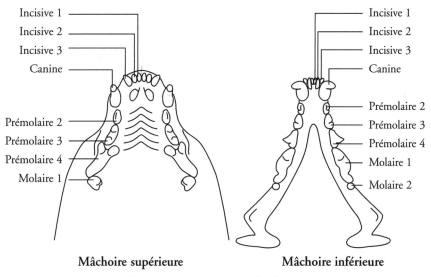

Incisive 1
Incisive 2
Incisive 3
Canine
Prémolaire 2
Prémolaire 3
Prémolaire 4
Molaire 1

Incisive 1
Incisive 2
Incisive 3
Canine
Prémolaire 2
Prémolaire 3
Prémolaire 4
Molaire 1
Molaire 2

Mâchoire supérieure   **Mâchoire inférieure**

Dents permanentes du furet

L'éruption des dents permanentes peut avoir lieu entre les 46e et 74e jours.

Avec le temps, les dents du furet changent d'apparence et il est possible d'évaluer son âge approximatif en examinant les canines. Il faut bien sûr tenir compte de certains facteurs : le type d'alimentation (sèche ou humide) et les accidents (dents cassées) qui changent l'aspect de la dentition.

Pour examiner les dents du furet, faites-le bâiller : saisissez-le par la peau du cou ou caressez-le de chaque côté de la gueule (voir chapitre 6 : Contention).

Âge du furet	Caractéristiques
Moins de 50 jours	Les dents sont d'un blanc immaculé. Elles sont petites et très pointues.
Moins de 6 mois	La dentition est blanche et les canines sont opaques.
Entre 6 mois et 1 an	Le bout des canines est légèrement translucide sur quelques millimètres.
Entre 1 an et 2 ans	La dentition prend une teinte ivoire.
Entre 2 ans et 3 ans	La structure interne des canines est visible à leur pointe. La partie supérieure des canines (près des gencives) commence à devenir translucide.
Entre 3 ans et 4 ans	Les canines sont légèrement translucides sur toute leur longueur. Un reflet jaunâtre couvre toute la dent.
5 ans et plus	Les canines sont jaunes et transparentes sur toute leur longueur. La structure interne de la dent est facilement visible.

Une dentition de carnivore strict

Chez les carnivores, la mâchoire est puissante; les incisives, petites; les canines, bien développées; et les molaires, réduites. La 4e prémolaire maxillaire se juxtapose à la 1re molaire de la mandibule quand le furet ferme la gueule. Ces dents ont la fonction de couper la viande. On les nomme « dents carnassières ». Ce sont les plus grosses et les plus fortes.

Note : Les prémolaires numéro 1 sont absentes des deux mâchoires. L'identification va donc de P2 à P4.

Curiosités

- Les incisives supérieures sont un peu plus grosses et légèrement plus longues que les incisives inférieures. Il en est de même pour les canines. Parfois, les canines supérieures sont si longues que leur extrémité est visible lorsque le furet a la gueule fermée. Cette curiosité anatomique n'est en rien inquiétante, sauf peut-être pour ceux et celles qui croient aux vampires...
- Certains furets ont plus d'incisives que la normale. Ces petites dents surnuméraires sont inoffensives ; il n'est pas nécessaire de les faire extraire. L'inverse est aussi possible. Ce n'est pas grave si votre furet a moins d'incisives que la normale, sauf si cela résulte d'une maladie péridontique consécutive à l'accumulation de tartre dentaire.
- Si vous observez deux canines contiguës, c'est que la canine décidue n'est pas tombée. Il faudra la faire enlever si elle reste en place.

Le système cardiorespiratoire

Le cœur du furet bat rapidement (180 à 250 battements par minute). Ce métabolisme rapide exige beaucoup d'énergie, d'où les besoins alimentaires spécifiques du furet (voir chapitre 5).

Un furet au repos respire de 33 à 36 fois par minute. S'il souffre, sa respiration sera plus rapide et plus superficielle. Une respiration bruyante annonce invariablement un problème de santé. Faites examiner l'animal par votre vétérinaire.

Les sens

La vue

La vue du furet n'est pas aussi développée que son ouïe ou son odorat. Il écoute et renifle plus qu'il ne scrute son milieu lorsqu'il chasse ou explore. En tant que prédateur, il a les yeux placés sur le devant de la tête, ce qui lui donne une vision binoculaire et en trois dimensions. Chaque œil possède un grand champ de vision latéral monoculaire, ce qui permet à l'animal de balayer un large périmètre et de voir tout ce qui se passe autour de lui. Le furet est doté d'une curiosité sans bornes, mais son acuité visuelle est mauvaise et il ne voit pas distinctement les objets éloignés. Évaluant mal les distances, plusieurs furets se blessent en sautant d'un balcon, d'une table, ou en dégringolant un escalier. Ne laissez jamais un furet sans surveillance.

Par contre, le furet a hérité de ses ancêtres, chasseurs nocturnes, d'une excellente vision dans la pénombre et la nuit. La cornée des yeux est large, le cristallin est sphérique et la rétine compte beaucoup plus de bâtonnets que de cônes (environ 50 à 60 bâtonnets pour 1 cône).

Rappel: Les bâtonnets et les cônes sont des cellules nerveuses de la rétine. Les bâtonnets fonctionnent en lumière faible et sont responsables de la vision en noir et blanc; les cônes fonctionnent en lumière intense et sont responsables de la vision en couleurs. L'œil des espèces nocturnes est riche en bâtonnets; celui des espèces diurnes, riche en cônes.

Remarques

- La vision des furets albinos est un peu moins bonne que celle de leurs congénères normaux. Ils ne sont toutefois pas aveugles.
- La présence de cônes sur la rétine du furet suggère qu'il pourrait détecter certaines couleurs, mais on ne sait pas encore lesquelles, faute d'études. Par ailleurs, des chercheurs ont démontré que sa

cousine, l'hermine, perçoit probablement le rouge, le jaune, le vert et le bleu. On peut supposer qu'il en est de même pour le furet.

- Les furets voient beaucoup plus facilement les objets en mouvement que les objets stationnaires. Les objets bougeant de 25 à 45 cm/seconde (vitesse moyenne d'une souris) attirent davantage leur attention. De ce fait, ils sont enclins à attraper un jouet mobile ou les pieds de la personne qui marche. Tout ce qui bouge plus lentement ou plus rapidement les captive moins. Voilà probablement un héritage génétique de leurs lointains ancêtres sauvages.

- La pupille du furet a la forme d'une ellipse horizontale. Cette forme protège mieux les yeux des forts rayons du soleil et permet à l'animal de bien balayer le champ de vision près du sol.

- Le déclenchement de l'œstrus (chaleur) chez la femelle du furet est lié à la luminosité, spécialement à la longueur des journées. On peut donc considérer les yeux comme des structures primordiales dans le processus de la reproduction. D'ailleurs, la femelle aveugle et en âge de se reproduire n'est jamais en chaleur.

- Comme le chien et le chat, le furet possède une troisième paupière au coin interne de l'œil. Elle n'est normalement pas visible, mais on la remarque en cas d'inflammation. Elle apparaît comme une petite peau ou comme une boule rose au coin de l'œil.

Le goût

On ne donne pas n'importe quoi à manger à ce cher furet. Très jeune, il s'imprègne du goût de sa nourriture et il y restera fidèle toute sa vie. Durant les trois premiers mois, il apprend à reconnaître au goût et à l'odorat la nourriture que sa mère lui apporte. À partir de quatre mois, ses préférences sont bien établies. Voilà pourquoi le furet est si capricieux et qu'il est parfois difficile de lui faire manger quelque chose de nouveau.

Conseil

- Si vous mettez votre furet en pension ou s'il est hospitalisé, assurez-vous qu'il reçoit la même nourriture qu'à la maison. Sinon, n'hésitez pas à l'apporter avec lui.

L'odorat

L'olfaction est une fonction importante pour déclencher l'instinct de chasseur du furet. Son odorat bien développé lui permet d'identifier sa nourriture et sa litière, et de reconnaître ses objets familiers, les autres furets, les animaux ou les humains.

Remarque

- Il est tout à fait normal qu'un furet mettant son nez partout se le fasse chatouiller par les poussières et éternue à l'occasion.

L'ouïe

Le furet a l'ouïe très sensible. Il peut entendre les moindres sons et les localiser facilement, mais il doit être attentif.

Vous aurez parfois l'impression que votre animal est sourd, mais il ignore peut-être votre voix, étant trop occupé à vaquer à d'autres occupations !

Remarques

- Le syndrome de Waardenburg touche parfois le furet et est associé à une coloration particulière du pelage : un museau blanc et une bande de poils blancs entre les deux oreilles. Ce phénomène a aussi été observé chez certains furets blancs aux yeux noirs et il peut également affecter le chat, la souris et le vison. Chez l'humain, cela se traduit par une touffe de cheveux blancs sur le devant de la tête. Ce syndrome est transmis par un gène récessif et les individus atteints sont souvent sourds.

- Un furet sourd est plus difficile à éduquer. Il est plus susceptible de vous mordre s'il est surpris par-derrière, car il ne vous entend pas arriver. Prévenez-le de votre présence en le touchant doucement. Un furet sourd peut apprendre à obéir à des signes particuliers des mains. Soyez patient et persévérant. Il n'est pas facile de déterminer si un furet est réellement sourd ou s'il se moque de vous en vous ignorant. Faites un bruit fort et inusité loin de lui pour voir s'il réagit. Ne tapez pas dans vos mains près de lui, car il perçoit les vibrations et réagit à ce genre de stimulus.
- Les furets albinos ont l'ouïe un peu moins bien développée.
- Les furets sourds ont tendance à vocaliser plus fort.
- Il n'est pas possible de discipliner un furet sourd en lui disant un « non » catégorique. À la place, pressez votre doigt sur le dessus de son museau pour lui faire incliner la tête.
- Les furets sourds sont plus calmes.
- Le son aigu produit par les jouets en latex compressible fait partie des fréquences que le furet entend le mieux. Entraînez-le à venir vers vous au son de son jouet préféré en le récompensant. Vous pourrez utiliser ce truc pour le faire sortir d'un lieu difficile d'accès ou pour le retrouver si vous l'avez perdu de vue.
- Certains furets ont un tatouage sur un pavillon d'oreille ou sur les deux. Ce sont simplement des codes permettant d'identifier la ferme d'élevage d'origine.

Exemples :
– Deux points bleus à l'oreille droite = ferme Marshall, États-Unis ;
– Un « H » vert sur l'oreille gauche = ferme Hagen, Canada.

Le toucher

Les vibrisses du furet interviennent dans la transmission des sensations tactiles. Il ne faut jamais les tailler.

Les sacs anaux

Tous les mustélidés ont des sacs anaux plus ou moins développés : ce sont de petites poches placées de chaque côté de l'anus, sous la peau. Leur ouverture se situe près de l'anus.

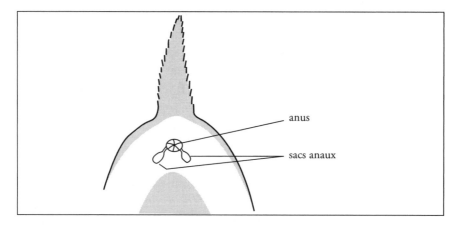

Les sacs anaux contiennent un liquide jaune et visqueux dont l'odeur musquée est plus ou moins intense selon l'espèce (elle est extrêmement forte chez la mouffette). Contrairement à la mouffette, sa cousine, le furet est incapable de propulser le contenu de ses sacs anaux. Dans une situation de détresse, de panique, de douleur, de rage ou de grande excitation, il peut cependant le laisser s'écouler sur les poils autour de l'anus, ce qui dégage une odeur peu discrète. L'ablation des sacs anaux du furet est facultative, et il est faux de prétendre qu'après une telle opération le furet dégage une odeur amoindrie. Cela prévient uniquement les déversements occasionnels. Les furets adultes contrôlent bien leurs sacs anaux et ne laissent échapper leur contenu que dans des circonstances exceptionnelles. Seuls de rares individus les vident fréquemment.

Remarques

- Le jeune furet volage a tendance à laisser échapper le contenu de ses glandes plus facilement. Soyez patient, il apprendra à se contrôler en vieillissant.
- Un furet peut parfois vider ses sacs anaux lorsqu'il rêve.
- L'ablation des sacs anaux est nécessaire si une quantité anormale de sécrétions s'y accumule, s'ils s'infectent ou si une tumeur apparaît.
- L'endommagement du muscle de l'anus est une conséquence possible de l'ablation des sacs anaux. Les séquelles vont d'un léger prolapsus du rectum jusqu'à l'incontinence.
- Un furet à qui l'on a retiré ses sacs anaux ne deviendra pas plus agressif. Il a tout simplement perdu un moyen de défense (l'odeur des sécrétions). Mais, comme le furet domestique n'a plus besoin de se défendre, la chirurgie ne l'affecte pas.

La peau

La peau du furet est épaisse et résistante, particulièrement dans la région de la nuque et des épaules. Cette particularité est utile lorsque deux furets jouent à se chamailler.

Les glandes sudoripares sont quasiment absentes de la peau et sont concentrées dans la région des coussinets plantaires et près du museau. Incapable de suer pour se rafraîchir, le furet est vulnérable aux coups de chaleur.

En revanche, les glandes sébacées sont nombreuses et couvrent tout son corps. Elles produisent une odeur musquée et sont beaucoup plus actives chez l'animal non stérilisé, car les hormones sexuelles activent leur fonctionnement. La stérilisation atténue beaucoup l'odeur corporelle du furet. Le sébum émis par ces glandes est brunâtre et peut s'accumuler sur la peau.

Lorsqu'il sèche, il forme parfois des plaques brun-roux qui partent facilement avec un shampooing. Le sébum est aussi responsable des points noirs de la queue et du jaunissement des poils blancs. Si la production de sébum est excessive dans la région de la queue, nettoyez-la avec un shampooing à base de peroxyde de benzoyle (vendu dans les cliniques vétérinaires).

COULEUR DE LA PEAU		
Couleur	Raison	Quoi faire?
Jaune	Surproduction de sébum	Shampooing au besoin. Si le problème s'aggrave, votre vétérinaire vous proposera de faire un bilan de santé de votre furet. Ce symptôme peut accompagner les tumeurs des glandes surrénales.
	Jaunisse (ictère)	Consultez rapidement votre vétérinaire. La jaunisse est le symptôme d'un foie gravement malade.
Bleue	Après une chirurgie, la peau paraît bleutée à l'endroit rasé juste avant que les poils foncés émergent de leurs follicules.	Il n'y a rien à faire. C'est normal.
	Hématome	Consultez votre vétérinaire, car l'hématome est le résultat d'un traumatisme. Il peut être anodin ou s'accompagner d'une fracture, d'une hémorragie interne ou autre.

COULEUR DE LA PEAU (suite)		
Couleur	Raison	Quoi faire?
Bleue (suite)	Les gencives bleues indiquent que le furet est en choc ou en détresse respiratoire.	Consultez votre vétérinaire d'urgence.
Blanche	Anémie	Consultez votre vétérinaire afin qu'il détermine la raison et la gravité de l'anémie. Le furet aura besoin de soins spécialisés.
Rouge	Irritation, infection ou allergie	Consultez le vétérinaire afin qu'il pose le bon diagnostic et qu'il prescrive le traitement adéquat.
	Coup de chaleur	Administrez les premiers soins très rapidement (voir chapitre 6) et rendez-vous d'urgence chez le vétérinaire.
Rose	C'est la couleur normale de la peau et des gencives.	

Le pelage

Le pelage du furet se compose de deux sortes de poils: le sous-poil et les poils de garde. Le sous-poil de couleur pâle est un petit poil fin et doux, au ras du corps de l'animal. Il est dense et assure une isolation thermique adéquate. Les poils de garde sont longs, de couleurs et de marquages variés. Ils protègent le sous-poil des poussières et de l'humidité.

Les poils d'un furet rasé prennent parfois quelques semaines, voire quelques mois à repousser. À l'occasion, le nouveau pelage a une texture et une couleur différentes.

La mue

La mue a normalement lieu deux fois par année, à l'automne et au printemps. Pendant cette période, l'animal risque de développer des trichobézoards (des boules de poils dans son système digestif). L'ingestion d'amas de poils irrite ce système et peut parfois provoquer un blocage intestinal ou l'ulcération de l'estomac. Pour prévenir ces désagréments, donnez à votre furet une pâte laxative pour chats (1 à 2 ml, une ou deux fois par semaine; tous les deux jours en période de mue intensive). Presque tous les furets adorent le goût de ce produit.

Une mue normale ne devrait jamais laisser de zones glabres et ne devrait pas durer plus de deux à quatre semaines.

Remarques

- Votre furet peut sembler changer de teinte avec les mues: il est plus pâle en hiver et plus foncé en été. La raison en est fort simple: l'hiver, le sous-poil est plus dense et les poils de garde colorés ne le couvrent plus aussi bien. Ainsi, le furet paraît duveteux et pâle. L'été, l'isolation thermique n'est plus nécessaire et le sous-poil décroît. Les poils de garde prennent le dessus et le furet en acquiert un aspect lustré et plus foncé.
- Les mues coïncident avec la variation de poids saisonnière caractéristique des furets. Elles peuvent être graduelles et s'échelonner sur quelques semaines ou être intenses et ne durer que quelques jours.

- La grandeur du masque peut varier avec les saisons et d'année en année, suivant les mues. On ne peut donc pas formellement identifier un furet à l'aide de photographies datant de plus de quelques mois. Si une identification très précise est requise, ayez recours à une micropuce ou à un tatouage.
- L'excès d'œstrogène contribue à faire tomber anormalement les poils (femelle en chaleur ou tumeur de la glande surrénale).
- Les mues sont très influencées par la photopériode (durée du jour). Une mue peut être déclenchée par un changement soudain de luminosité.
- À l'occasion, un furet peut perdre partiellement ou en totalité les poils de sa queue. Ce phénomène peut se produire chez les mâles non castrés en saison de reproduction ou chez les furets mâles ou femelles stérilisés, soumis à des photopériodes irrégulières (lumières artificielles dans les maisons). C'est sans conséquence, et les poils finissent toujours par repousser. Ne soyez pas inquiet à la vue de points noirs sur la peau nouvellement dénudée de la queue : ce sont des comédons. Si l'alopécie (chute de poils) touche aussi le corps, consultez votre vétérinaire. Il est possible que votre furet souffre d'un maladie de la glande surrénale.
- Un furet soumis à une longue photopériode aura une fourrure moins dense et les mues d'automne et de printemps ne seront pas aussi marquées.
- Chez la femelle non stérilisée, une perte de poils survient juste après sa première ovulation de la saison. Lorsqu'elle devient gestante, ses poils repoussent plus soyeux et plus foncés. Une femelle qui se fait stériliser alors qu'elle est en chaleur aura une mue et une repousse de poils environ un mois après la chirurgie.
- Chez les furets mâles et femelles stérilisés, les mues sont moins intenses et on remarque moins de changements dans la couleur du pelage.

Les données anatomiques et physiologiques du furet

- Longévité : 5 à 8 ans (maximum 12). Les furets européens semblent vivre plus vieux que leurs cousins américains.
- Poids :   Mâle non castré : 1 à 2 kg ;
  Femelle non stérilisée : 0,6 à 1 kg ;
  Mâle ou femelle stérilisés : 0,8 à 1,2 kg
  (femelle toujours plus petite que le mâle).
- Poids à la naissance : 6 à 12 g.
- Poids à 1 semaine : environ 30 g.
- Poids à 2 semaines : 60 à 70 g.
- Poids à 3 semaines : environ 100 g.
- Poids à 4 semaines : environ 150 g.
- Poids à 6 semaines : environ 300 g.
- Poids à 9 semaines : environ 700 g.
- Poids adulte atteint à 4 mois.
- Longueur du corps de la femelle : 30 à 35 cm.
- Longueur du corps du mâle : 35 à 40 cm.
- Longueur de la queue (des deux sexes) : 7 à 10 cm.
- Rythme cardiaque : 180 à 250 battements par minute.
- Rythme respiratoire : 33 à 36 inspirations par minute.
- Température corporelle : 37,5 à 40 °C.
- Apparition des dents de bébé : entre 20 et 28 jours.
- Apparition des dents permanentes : entre 50 et 74 jours.
- Longueur du petit intestin : 180 à 200 cm.

Furet zibeline

Furet chocolat

Furet chocolat

En haut: furet zibeline
En bas: furet chocolat

- Longueur du gros intestin : 10 cm.
- Volume de l'estomac : 50 ml/kg.
- Transit intestinal chez l'adulte : 2,5 à 4 heures.
- Transit intestinal chez le jeune de trois semaines : 1 heure.
- Quantité d'urine produite en 24 heures : en moyenne 26 à 28 ml, mais aussi peu que 8 ml et jusqu'à 140 ml sont possibles. Cette grande variation dépend du sexe, de la condition générale de l'animal et de son régime alimentaire.
- Capacité de la vessie : 10 ml.
- Consommation d'eau en 24 heures : 75 à 100 ml.
- Consommation de nourriture en 24 heures : 140 à 190 grammes.
- Volume sanguin du furet en bonne santé : Femelle : environ 40 ml ;
  Mâle : environ 60 ml.
- Durée du sommeil : 15 à 20 heures par période de 24 heures.

CHAPITRE 3

Le furet: un excellent animal de compagnie

Si vous croyez vous ennuyer en présence d'un furet, détrompez-vous! Le furet a l'esprit vif et adore explorer et fureter partout: dans la penderie, le garde-manger, la salle de bains, le porte-revues, les souliers, etc. Il fouille sans pudeur les sacs à main des invitées et, s'il en a la chance, dérobe volontiers les pièces de puzzle. Si l'envie l'en prenait, il pourrait bien s'aventurer dans votre imprimante pour mâchouiller les cartouches d'encre.

Il a de la difficulté à fixer son attention très longtemps. Ses activités, quoique de courte durée, sont toujours intenses. Comme il se lasse rapidement, procurez-lui de nombreux jouets et participez à ses jeux. Lorsqu'il s'ennuie, ou si le jeu est terminé, il s'allonge sur le plancher, vous dévisage et semble réfléchir, puis il repart de plus belle vaquer à diverses occupations.

La vie du furet se résume à trois plaisirs essentiels : manger, dormir et jouer. Il les goûte dans l'ordre ou dans le désordre. Son sommeil, composé de plusieurs petits sommes, occupe plus de 15 heures de son temps dans une journée normale. Dès qu'il n'a plus rien à faire, il s'endort. Son sommeil est très profond et il est parfois difficile à réveiller. Qui ne s'est pas angoissé au moins une fois devant l'apparente léthargie de son furet ?

Beaucoup de furets tremblent au réveil pour augmenter la température de leur corps. Les tremblements peuvent aussi être associés à la peur, à une émotion ou à une excitation. Tenu entre des mains froides, il aura la même réaction.

Lorsqu'il est anxieux ou incertain, il recule. Ce comportement est fréquemment observé quand un inconnu essaie de le saisir ou qu'il n'a pas envie de se faire prendre.

Intimidé, il fait le dos rond et hérisse les poils de sa queue pour avoir l'air effrayant. Tout comme le chat, il se soulève haut sur ses pattes. En revanche, s'il sautille joyeusement autour de vous en courbant le dos et en mordillant le bas de vos pantalons, c'est qu'il vous invite simplement à jouer.

Le furet produit une foule de sons différents selon ses humeurs :
- Il glousse s'il est excité, heureux ou très fâché. Soumis à une émotion forte, il produit parfois le même gloussement.
- Il émet un son sifflant s'il est frustré, fâché, s'il a peur, ou lorsqu'il se bat avec un congénère.
- Il pousse un cri aigu et perçant s'il est en détresse, s'il souffre ou s'il est très effrayé. Lors de batailles agressives, les deux furets poussent ce cri.
- Il murmure ou marmonne en furetant.
- Les très jeunes furets gémissent faiblement ou pleurnichent quand ils sont excités.

Vous devez avoir un bon sens de l'humour pour vivre aux côtés de ce petit mustélidé espiègle. Il a la manie de voler et de cacher les objets qui lui plaisent. Votre furet sera peut-être responsable de votre retard le matin, quand vous chercherez les clés de votre auto, vos chaussettes ou votre brosse à dents.

Le furet aime grimper aux rideaux, creuser la terre de vos plantes ou mordiller vos orteils sous les couvertures, fouiller les matelas et les sofas dont il consomme souvent la bourre. Il sera aussi très surpris de constater que vous êtes mort d'inquiétude après l'avoir appelé et cherché durant des heures, alors qu'il n'était qu'endormi dans le lit, sous les couvertures.

Le furet et ses fréquentations

Le furet apprécie la présence des humains ou de certains autres animaux. Encore faut-il bien choisir ses fréquentations, surtout lorsque les amis sont atypiques…

Le chien

Gros ou petit, le chien est un excellent compagnon pour le furet. Ils développent entre eux une belle complicité, surtout s'ils ont été élevés ensemble dès le jeune âge. Il y a cependant des exceptions et certains individus ne se toléreront jamais. Il faut avant tout superviser les présentations et ne pas brusquer la nature.

Le chat

Cette association est très intéressante. Vous aimerez observer leurs jeux acrobatiques et leurs courses effrénées dans la maison. Ils seront heureux de faire la sieste ensemble et le chat en profitera certainement pour faire un brin de toilette à son compagnon. Si le chat n'est pas dégriffé, taillez et limez bien ses griffes afin d'éviter qu'il ne blesse accidentellement le furet.

Le reptile

Évitez de mettre ces animaux ensemble. Le furet pourrait blesser ou tuer les petits reptiles (serpent, lézard, tortue). À l'inverse, les gros serpents peuvent tuer et manger votre furet. Un lézard imposant tel l'iguane pourrait lui infliger des blessures douloureuses avec sa queue. Les tortues matures mordent très fort et les reptiles, potentiellement porteurs de la bactérie *Salmonella sp.*, pourraient contaminer votre furet et le rendre malade.

Le cochon d'Inde

Évitez cette association : prédateur du cochon d'Inde, le furet pourrait le blesser ou le tuer.

Le chinchilla

Aucune complicité n'est possible entre eux. Le furet considère le chinchilla comme une proie.

Le lapin

On ne devrait jamais mettre un furet en présence d'un lapin, car son instinct de chasseur se réveillerait en sa présence.

Les petits rongeurs

Rat, souris, hamster, gerbille et octodon (dégu) sont des proies potentielles pour le furet. Ne songez même pas à les présenter.

Les oiseaux

Il est fort agréable pour le furet de se réveiller au chant d'un canari ou d'un pinson, mais la cage de l'oiseau doit être inaccessible, car le furet pourrait bien avoir envie de croquer son ami. Évitez de placer la cage d'un perroquet près de celle d'un furet, car la quantité de décibels qu'il génère irriterait le furet et perturberait son sommeil. Évitez tout contact, car le perroquet peut infliger des morsures douloureuses au furet, et le furet peut tuer l'oiseau.

Le furet

C'est le compagnon idéal. Les furets sont très sociables et ont beaucoup de plaisir à vivre ensemble. Leurs jeux sont toujours animés. Ils adorent dormir blottis les uns contre les autres.

Étant donné la nature grégaire de l'animal, les présentations sont généralement faciles, mais ne mettez jamais deux mâles matures et non castrés ensemble. Stérilisés, ils s'accepteront bien. Vous pouvez aussi opter pour un couple de femelles ou pour un mâle et une femelle.

Les combinaisons de trois furets et plus, sexes confondus, fonctionnent aussi très bien. Les furets sont peu territoriaux, mais ils ont tendance à établir une hiérarchie entre eux.

Le léchage des oreilles est un signe de dominance. La mère le fait à ses petits pour les discipliner et le furet dominant lèche les oreilles du furet subordonné. Il arrive parfois qu'un adulte utilise ce comportement pour signifier à un congénère plus jeune qu'il en a assez de ses écarts de conduite.

Le furet dominant exprime aussi sa supériorité en saisissant le furet dominé par le dessus du cou. L'animal subordonné est traîné sur une distance plus ou moins longue. Vous n'avez pas à intervenir, à moins que le jeu ne devienne violent ou que la peur ou la panique s'empare du furet dominé.

Remarques

- Faire vivre de jeunes furets ensemble est toujours facile.
- Il n'est pas recommandé d'acheter un furet de huit semaines dans le but d'offrir de la compagnie à un furet de huit ans. La personnalité fougueuse du plus jeune épuiserait le patriarche.

- Pour présenter deux adultes inconnus l'un à l'autre, placez d'abord les cages dans la même pièce. Avant, vous aurez bien entendu soumis le nouveau venu à une quarantaine[6] d'un mois. Après quelques jours, échangez des accessoires d'une cage à l'autre, par exemple les couvertures : les deux futurs amis pourront ainsi se familiariser avec leur odeur respective. Faites les présentations graduellement et sous surveillance.

L'adoption d'un furet

Il importe de choisir judicieusement un animal pour qu'il convienne au style de vie et à la personnalité du maître et des autres membres de la famille. Il faut aussi être en mesure de lui offrir les soins requis.

Si vous souhaitez un animal calme qui passera des heures dans vos bras ou sur vos genoux à se faire caresser, n'adoptez pas un furet. Mais si vous recherchez un compagnon enjoué, énergique et affectueux, le furet est tout indiqué. Il demande moins d'attention qu'un chien mais un peu plus qu'un chat. Il n'a pas besoin de longues promenades à l'extérieur : la liberté surveillée dans la maison lui convient parfaitement. Il sera donc tout aussi heureux en ville qu'à la campagne. Il vivra avec vous durant six à neuf ans. Parfois, un furet peut atteindre l'âge vénérable de 10 à 12 ans. À noter : les furets qui vivent en Amérique du Nord souffrent davantage du cancer que les furets européens. De ce fait, leur longévité est plus courte.

---

6. Mettez le nouveau venu en quarantaine dans une pièce séparée et si possible éloignée de celle où vit le premier furet. Lavez-vous soigneusement les mains après chaque manipulation du nouvel animal. Ne permettez pas au premier furet de s'amuser avec les jouets du second ni au même endroit que lui, même si ce dernier n'y est plus.

Le furet et les enfants

Le furet est un excellent compagnon pour les jeunes. Cependant, il ne devrait jamais être laissé avec un enfant de moins de trois ou quatre ans sans surveillance. Avant cet âge, l'enfant n'est pas en mesure de se défendre si le furet le mord et il peut blesser l'animal en le manipulant mal.

Il n'est pas conseillé non plus de laisser un furet seul avec une personne âgée et limitée physiquement ou avec une personne lourdement handicapée.

Souvenez-vous que le furet n'est pas un jouet, mais un compagnon de jeu. Un enfant bien éduqué risque beaucoup moins d'être impliqué dans une situation fâcheuse. Prenez le temps de lui expliquer qu'il ne doit jamais :
- s'approcher d'un animal qui a peur ;
- agacer ou tourmenter un animal ;
- surprendre un animal qui dort ;
- faire des mouvements brusques, ni crier ni tirer les poils ou la queue d'un animal ;
- pourchasser un animal dans la maison ;
- mettre ses doigts dans la cage ;
- caresser un animal inconnu ;
- donner une gâterie à un animal sans demander la permission à son maître ;
- mettre son visage près de l'animal ou laisser celui-ci lui lécher le visage.

Choisir son furet

Mâle ou femelle, le furet est un excellent animal de compagnie. La vaste majorité a très bon caractère.

Les critères pour bien choisir un furet

1. Observation à distance : un furet éveillé est très enjoué et alerte. Il ne cherche qu'à jouer et il réagit à tous les bruits qu'il entend. Un furet malade a tendance à être anormalement calme.

2. Évaluation du caractère : lorsque vous approchez un furet, il doit montrer un certain intérêt et sa curiosité doit le pousser à venir à votre rencontre. Son attitude est amicale et enjouée. En aucun temps il ne devrait se montrer agressif. Si c'est le cas, ne l'achetez pas. Cependant, tous les jeunes furets mordillent pour s'amuser et explorer le monde qui les entoure, c'est normal.

3. Examen de la condition physique : un furet en bonne santé a un pelage lustré, sans zone dégarnie ni plaies sur la peau. Les yeux et le nez ne doivent jamais être souillés par des sécrétions. La région anale doit être propre. Si vous achetez un furet déjà stérilisé et déglandé, vérifiez que les plaies de chirurgie (hystérectomie, castration et exérèse des sacs anaux) sont belles, sans enflure ni suintement. Il se peut que les points de suture soient encore présents. Ces plaies sont sur l'abdomen, sous l'ombilic et en périphérie de l'anus.

4. Détermination du sexe : voir chapitre 7.

Où se procurer un furet ?

Dans une animalerie

En Amérique, les animaleries reçoivent leurs furets directement de grosses fermes d'élevage. Les jeunes sont vaccinés contre la maladie de Carré (*distemper*) et stérilisés. On leur enlève aussi les sacs anaux. Un certificat attestant l'exécution de ces procédures est remis au nouveau propriétaire. Demandez une garantie de santé et faites examiner l'animal par votre vétérinaire dans les jours suivant l'achat. En Europe, les jeunes furets sont souvent vendus intacts (non stérilisés). Les nouveaux propriétaires devront les faire stériliser quand ils auront atteint l'âge de six mois.

Chez un éleveur

Il n'y a presque plus de petits éleveurs de furets : ils ont été remplacés par les grosses fermes d'élevage, qui peuvent fixer un prix compétitif. Habituellement, ces éleveurs ne vendent pas aux particuliers, mais la situation peut varier d'un pays à l'autre.

Dans un refuge d'animaux

Des propriétaires de furets abandonnent leur animal pour avoir mal évalué la responsabilité qu'implique leur garde. Ces furets sont pour la plupart d'excellents animaux. En adoptant un furet abandonné, vous faites une bonne action.

D'un ami

Si votre voisin désire se défaire de son furet, vous pouvez peut-être l'adopter. Vous aurez l'avantage de bien connaître l'animal.

Les allergies

Avant d'adopter un furet, assurez-vous de ne pas être allergique. L'unique façon de le savoir est de passer un test dermique chez un allergologue. Une personne allergique au chat ne l'est pas nécessairement au furet. Et si vous êtes allergique au lapin et au furet, vous ne l'êtes peut-être pas au chien. Seul le résultat du test dermique vous renseignera de façon adéquate.

Le furet et la vie quotidienne

À Noël

En décembre apparaît dans la maison un beau sapin décoré de choses attrayantes. Le furet peut difficilement résister à l'envie d'aller l'explorer. Fixez solidement votre arbre de Noël, car le furet aime y grimper. Il gratte souvent à la base de l'arbre, dans l'espoir de boire quelques gorgées d'eau dans le récipient où est plongé le tronc. Ne mettez jamais d'additifs chimiques dans cette eau, car votre animal risquerait de s'intoxiquer. Les sapins naturels embaument la maison, mais leur tronc est couvert de résine. Si votre furet a taché sa fourrure avec cette résine, massez les endroits englués avec une petite quantité de beurre ou d'huile d'olive et faites un bon shampooing.

Toutes les décorations de votre sapin de Noël sont potentiellement dangereuses pour le furet. À moins d'interdire absolument l'accès à l'arbre, évitez les objets cassants et préférez-leur les ornements incassables ou en peluche. Les crochets peuvent blesser l'animal et il pourrait les avaler. Servez-vous de rubans pour suspendre les décorations. Les boules recouvertes de fils de soie sont incassables, mais le furet éprouve généralement le besoin irrésistible de les dépouiller.

Les jeux de lumières comportent aussi des dangers. Le furet trouve amusant de croquer les ampoules et le danger d'électrocution est réel. Bien entendu, si elles clignotent, elles sont encore plus attirantes. Votre furet pourrait se pendre dans les fils électriques s'il grimpait à l'arbre et en tombait. Les guirlandes et les glaçons artificiels sont dangereux. Une fois avalés, ils causent une irritation digestive importante et parfois des blocages intestinaux. Les guirlandes de carton sont une solution sécuritaire.

Le furet cleptomane aura fort à faire avec le sapin décoré. Il subtilisera les cannes en sucre, les mangera ou les emportera dans ses cachettes. Il les collera peut-être sur votre divan ou sur le tapis du salon, sans rien dire du risque d'avaler l'emballage. N'utilisez jamais de décorations en chocolat : ce produit est toxique pour le furet.

Si vous négligez de surveiller votre animal, votre sapin se dégarnira peu à peu de ses ornements pour « décorer » la cachette de votre furet. Vous assisterez probablement à l'enlèvement des personnages de la crèche et au déraillement du petit train électrique.

Quant à vos cadeaux, ils risquent de passer un mauvais quart d'heure : le furet insistera pour pénétrer dans les paquets. Il les poussera, les grattera et les déchirera. Même si vous les remballez, vous ne le découragerez pas! Il aimera aussi voler les petites cartes nominatives et les choux.

Après tout ce remue-ménage, vous trouverez sans doute votre furet sagement endormi sous l'arbre en train de rêver à sa caverne d'Ali Baba bien garnie.

Remarques

- Offrez un bas de Noël vide à votre furet. Il s'amusera à y pénétrer et peut-être même à y dormir. Accrochez-le très bas ou déposez-le simplement par terre. À l'occasion, insérez-y une gâterie.
- Déposez des boîtes vides percées de quelques trous parmi les présents. Votre furet s'amusera à s'y cacher et peut-être oubliera-t-il de déballer les cadeaux.
- Préparez quelques paquets à l'intention de votre animal et permettez-lui de les déballer et de les détruire à sa guise.
- Après la fête, chiffonnez le papier d'emballage et remplissez-en une boîte. Le furet aimera s'y amuser.

Pour éviter les accidents:
- Inspectez soigneusement le foyer avant de l'allumer: le furet aime dormir dans ce genre d'endroit sombre.
- Mettez les plantes de Noël (poinsettias, cactus de Noël, etc.) hors de la portée du furet. Plusieurs plantes sont toxiques.
- Ne laissez jamais brûler une chandelle sans surveillance. Les chandelles parfumées attirent particulièrement le furet.
- Ne laissez jamais le bol de punch sans surveillance. L'alcool est nocif pour les animaux. Ramassez rapidement les bouteilles de bière vides et les verres des invités.
- Videz régulièrement les cendriers.
- Ne laissez jamais une bonbonnière à la portée du furet.

- Aspergez les fils électriques de répulsif – vinaigre, jus de citron, sauce aux piments forts ou Grannick's Bitter Apple (produit amer vendu dans certaines animaleries).
- Assurez-vous de bien voir tous vos furets avant de sortir les poubelles.
- N'utilisez pas de morceaux de styromousse dans les boîtes de cadeaux.
- Empêchez le furet de s'emparer du petit sachet humidifuge qui se trouve dans les boîtes d'appareils électroniques. Son contenu est très toxique.
- Prenez garde de marcher sur votre furet caché sous le papier d'emballage éparpillé.

Lorsque la maison est remplie d'invités, il vaut mieux garder votre furet en cage. Dans l'effervescence du moment, vous ne pourrez pas le surveiller adéquatement. Il pourrait se faire piétiner, s'échapper dehors, mordre le petit neveu turbulent, se faire offrir des os de dinde par l'oncle René ou du chocolat par grand-maman. De plus, tante Yolande n'appréciera peut-être pas le léger parfum de musc laissé par votre furet endormi sur son manteau de vison. Les clés des invités risquent aussi de disparaître pour finir dans sa fameuse cachette!

À l'Halloween

Pendant que vous êtes occupé à accueillir les petits monstres et les petites sorcières, votre furet s'affaire peut-être à dérober les gâteries qui débordent des plats. Nous ne le dirons jamais assez: le chocolat est toxique pour lui. Et tout ce va-et-vient représente autant d'occasions pour le furet de se faufiler à l'extérieur. Donc, laissez-le dans sa cage.

Mon furet fugueur

Vous cherchez votre furet depuis un bon moment déjà. En apercevant la porte entrouverte, vous comprenez qu'il s'est enfui. Vous devez réagir rapidement. Plusieurs dangers le guettent à l'extérieur : les animaux sauvages, les voitures, la faim, etc.

Contactez d'abord vos voisins : ils l'ont peut-être vu. Fouillez soigneusement tous les recoins autour de la maison : sous le balcon, la haie, le cabanon, les véhicules, le tas de bois, etc. Explorez le garage et toutes les dépendances proches. Si votre animal a été entraîné à venir à vous au son d'un jouet bruyant, utilisez-le.

Appelez votre animal fort et longtemps. Un furet endormi est difficile à réveiller.

Avec un peu de chance, vos efforts seront récompensés. Les furets n'ont pas l'habitude de s'éloigner. Il sera d'ailleurs probablement surpris de vous voir si énervé, alors qu'il se reposait tout simplement sous l'escalier.

Mais peut-être vos recherches seront-elles infructueuses. Dans ce cas, affichez un avis, «Furet perdu», chez les commerçants du voisinage. Prévenez les cliniques vétérinaires de la région. Communiquez avec la fourrière municipale, la Société protectrice des animaux et les refuges pour animaux.

Lorsque vous retrouverez enfin votre animal, il sera probablement affamé et déshydraté. Les furets ne sont pas du tout doués pour chasser et subvenir à leurs besoins. Consultez rapidement votre vétérinaire pour qu'il évalue son état et vous conseille. Si votre animal a été mordu, vous serez heureux de l'avoir fait vacciner régulièrement contre la rage.

Finalement, si votre furet vous revient avec, en prime, une odeur de mouffette, ne désespérez pas, mais lavez-le avec cette solution :

500 ml (2 tasses)	Peroxyde d'hydrogène
30 ml (2 c. à soupe)	Bicarbonate de soude
2,5 ml (½ c. à thé)	Savon liquide (shampooing ou savon à vaisselle)

Mélangez le tout et savonnez bien le furet en protégeant ses yeux, puis rincez-le soigneusement. Le peroxyde peut décolorer quelque peu les poils foncés.

Vous pouvez aussi utiliser le bon vieux truc du bain de jus de tomate ou le produit Skunk-Off, vendu dans les cliniques vétérinaires.

Une fois sec, votre animal ne sentira plus mauvais. L'humidité ravivera cependant l'odeur durant quelques semaines encore.

CHAPITRE 4

L'environnement
et les conditions de captivité

Une multitude de dangers guettent votre furet dans la maison. Vous serez étonné de constater avec quelle facilité il réussit à se placer dans des positions périlleuses. Il est irrésistiblement attiré par les conduits étroits et les espaces exigus. Et puis il excelle à dénicher tous les petits objets qui traînent par terre. Qui sait, peut-être retrouvera-t-il la bague que vous cherchiez depuis des mois? Avec un peu de chance, il ne l'avalera pas et ira la porter dans sa cachette. Vous découvrirez probablement cet endroit un jour, en déplaçant le divan ou un autre meuble. Vous y verrez votre bijou parmi un tas d'objets disparates (nourriture, jouets, bonbons, papiers, etc.).

L'environnement

Les premiers conseils

Il est important que votre demeure soit sécuritaire. Inspectez-la en vous mettant à la hauteur du furet, au niveau du sol. Anticipez la conduite de votre animal.

- Le furet adore avaler les petits objets qu'il trouve. Ne le laissez jamais sans surveillance et ramassez tout. Pour un furet, tout ce qui est par terre lui appartient.
- Lorsque vous fermez un tiroir, assurez-vous que votre furet n'y reste pas prisonnier. Faites attention à ne pas lui écraser la tête ou une patte.

- Le canapé-lit peut devenir un piège mortel si le mécanisme se referme sur le furet.
- Une chaise à bascule infligerait des blessures sérieuses au furet qui se glisserait dessous. Bercez-vous avec lui sur vos genoux.
- Le furet est attiré par la chaleur. Il peut s'infliger des brûlures en demeurant coincé derrière les radiateurs ou tout autre élément chauffant.
- La grande curiosité du furet le pousse à explorer tous les trous. Prenez garde au conduit de l'aspirateur central et à la sortie de la sécheuse à linge.
- Les produits parfumés sont attrayants pour le furet. Il adore lécher les savons. Ne laissez jamais un pain de savon sur le rebord de la baignoire et enlevez soigneusement tout résidu au fond de la baignoire ou de la douche. Fermez l'armoire où sont rangés les produits de nettoyage. Posez une serrure si nécessaire. Plusieurs furets s'intoxiquent en ingérant ces substances (eau de Javel, nettoyant à vitres, etc.).
- Ne permettez pas à votre furet de se glisser dans les profondeurs du divan. Il pourrait se blesser sur les ressorts, ingérer de la bourre ou rester pris.
- Installez des planchettes bloquant l'accès à l'arrière des meubles, de la cuisinière ou du réfrigérateur.
- Couvrez la terre de vos plantes avec un morceau de linoléum. Évitez de garder des plantes toxiques (dieffenbachia, rhododendron, azalée et autres). Remplacez-les par des plantes en soie si votre furet ne peut s'empêcher de grignoter la verdure!
- Avant de fermer la porte du réfrigérateur, assurez-vous que le furet n'est pas à l'intérieur.
- Ne mettez jamais vos vêtements dans la machine à laver sans avoir vérifié que votre furet n'est pas endormi parmi les chaussettes et les chandails.
- Abaissez toujours le couvercle de la cuvette des toilettes.

- Ne laissez pas de pots de confitures (ou autres) ouverts lorsque le furet est dans les parages. Si vous le retrouvez la tête coincée à l'intérieur, lubrifiez-lui le cou avec de l'huile végétale.
- Ne laissez pas un furet se balader dans un escalier, sur une mezzanine, un balcon ou sur le bord d'une fenêtre. Il a du mal à évaluer les distances et pourrait chuter.
- Inspectez l'intérieur du lave-vaisselle avant de le mettre en marche. L'odeur de nourriture attire le furet.
- Prenez garde de marcher sur un furet caché sous un tapis.
- Mettez les fils électriques hors d'atteinte.
- Surélevez les haut-parleurs de votre chaîne stéréo : le furet pourrait trouver le moyen d'y entrer pour avaler le polystyrène.
- Ne laissez pas votre furet explorer un sac à main qui contient des médicaments.
- Surveillez votre animal lorsque les fenêtres sont ouvertes : il pourrait déchirer les moustiquaires et s'évader. Il existe aujourd'hui des moustiquaires très solides conçues pour résister aux animaux. Informez-vous auprès d'un quincaillier.

En résumé, ne sous-estimez jamais ce qu'un furet peut faire. Soyez vigilant et ne le perdez jamais de vue lorsqu'il est en liberté dans la maison. Si vous ne pouvez plus le surveiller, remettez-le dans sa cage.

L'emplacement de la cage

Installez la cage de votre furet dans le salon, la salle de séjour ou la cuisine. Évitez la proximité des portes en raison des courants d'air et des changements brusques de température. Un furet peut supporter une température stable allant de 4 à 27 °C, s'il a pu s'y adapter graduellement. Tenez compte du taux d'humidité. Une température comprise entre 15 et 25 °C et un taux d'humidité de 40 à 65 % lui conviennent parfaitement. Si la température est agréable pour vous, elle l'est aussi pour votre animal. Le furet supporte plus facilement les températures fraîches que la chaleur. En été, si votre maison n'est pas climatisée, déménagez la cage à l'endroit le plus frais (le sous-sol). Le furet tolère mal les températures de plus de 30 °C, surtout si l'humidité est accablante.

Durant une canicule, une bouteille d'eau glacée enveloppée dans une serviette et déposée dans la cage lui procurera une source de fraîcheur. Mettez des cubes de glace dans son bol d'eau, elle restera fraîche plus longtemps. Certains furets aiment se baigner dans un récipient rempli de quelques centimètres d'eau où flottent des glaçons. Ils jouent à les pourchasser tout en se rafraîchissant.

Voici quelques conseils pour rendre la vie plus facile à votre furet lorsqu'il fait chaud :

- Permettez-lui de se balader dans la salle de bains. Le contact avec les carreaux en céramique lui plaira. Vous le retrouverez sans doute allongé sur le plancher.
- Aspergez d'eau votre furet. En s'évaporant, elle le rafraîchira un peu.
- Installez des carreaux de céramique au fond de sa cage. Ils sont toujours plus frais que l'air ambiant.
- Laissez dormir le furet dans des draps de coton au lieu de draps en finette ou en laine.
- Recouvrez la cage d'un drap de coton humide et dirigez-y la brise d'un ventilateur réglé à basse vitesse. L'évaporation de l'eau abaissera la température de la cage.

Le coup de chaleur

L'absence de glandes sudoripares chez le furet limite grandement sa capacité à régulariser sa température corporelle lorsqu'il fait chaud.

À 26 °C, le furet est mal à l'aise ; à 30 °C, les problèmes le guettent ; et une température de 32 °C et plus peut lui être fatale.

Quand le furet halète, la situation est grave. Beaucoup d'accidents surviennent dans une voiture chauffée par le soleil. Ne laissez jamais votre furet seul dans l'auto l'été, même si vous avez pris soin d'entrouvrir les fenêtres. Il peut mourir en quelques minutes.

Les symptômes d'un coup de chaleur sont :
- une respiration rapide et superficielle ;
- une respiration laborieuse, la bouche ouverte ;
- des tremblements ;
- une fréquence cardiaque très rapide ;
- un animal couché sur le côté ;
- la léthargie ;
- la désorientation ;
- une difficulté à se mouvoir ;
- les gencives et la langue de couleur rouge vin ;
- la salive épaisse ;
- le corps de l'animal très chaud ;
- des vomissements ;
- des convulsions ;
- une perte de conscience, le coma, la mort.

Une question de vie ou de mort

Si votre furet souffre d'un coup de chaleur, vous devez réagir rapidement et efficacement pour lui sauver la vie. Emmenez-le dans un endroit frais. Faites couler de l'eau fraîche (et non pas froide) sur ses pattes et enveloppez-le dans une serviette humide. Ne le plongez pas directement dans l'eau froide : son organisme aurait de la difficulté à supporter le choc. Allez d'urgence chez votre vétérinaire. Si l'animal est conscient, offrez-lui à boire pendant le trajet. Les boissons pour les sportifs (Gatorade ou autres) ou pour les enfants diarrhéiques (Pédialyte ou Gastrolyte, vendus dans les pharmacies) remplacent avantageusement l'eau. Malgré une intervention prompte, les risques de décès sont grands. Si le furet survit à l'épisode d'hyperthermie, il risque de mourir au cours des heures suivantes en raison des dommages causés aux cellules du cerveau et des reins. En bref, la prévention est votre meilleur atout contre les coups de chaleur.

Les quartiers extérieurs

Les ancêtres du furet occupaient fort probablement des terriers à l'abri des grandes chaleurs et du soleil torride de l'été.

L'emplacement de la cage est donc primordial : ne l'installez jamais en plein soleil. L'exposition prolongée aux rayons ultraviolets favorise l'apparition de cataractes et provoque parfois des coups de soleil sur la peau sensible du nez, des oreilles et des paupières. L'endroit idéal est à l'ombre, sous un arbre ou dans un abri.

Mon furet, libre dans la nature

« Je ne peux plus garder mon furet. Je vais lui rendre sa liberté et le laisser partir dans la nature. Il pourra chasser et sera certainement plus heureux. » Une telle affirmation est fausse. Abandonner son furet, c'est le condamner à mort, car il dépend des humains pour se nourrir et se loger : les furets ont été sélectionnés pour leur bon caractère et ils ont perdu, au fil du temps, leurs qualités de prédateurs. Certes un furet peut tuer instinctivement le hamster de la maison, mais il ne saura pas chasser pour sa survie. Seul dans la nature, il mourra de faim, écrasé par une voiture, attaqué par un animal, ou de froid l'hiver venu.

Les conditions de captivité

En aménageant l'espace de votre furet, vous devez penser à lui offrir une bonne qualité de vie et à rendre ses quartiers confortables, sécuritaires et attrayants.

La cage

La cage idéale doit être spacieuse et à l'épreuve des escapades. Le furet possède un talent exceptionnel, celui de s'évader facilement. Il pourrait ouvrir la porte de sa cage si elle n'est pas munie d'une serrure adéquate. Les dimensions minimales recommandées sont 1,5 m x 1 m x 1,5 m. Bien entendu, il n'est pas interdit de lui offrir plus grand.

L'aquarium en verre

Cette cage n'est pas recommandée, car la ventilation est inadéquate. La température à l'intérieur peut grimper rapidement par temps chaud et humide.

Aquarium avec couvercle grillagé

La cage avec base en plastique et dessus grillagé

C'est la cage à furet vendue dans les animaleries. Excellent choix pour le furet qui sort fréquemment de sa cage. Facile à nettoyer et peu encombrante, elle se distingue de la cage à lapin par la forme de sa porte : une petite ouverture sur le couvercle grillagé. Le dessus de la cage est donc bien solide et la porte possède un mécanisme de fermeture sécuritaire. Quant à la cage à lapin, tout le dessus se rabat ; ce type d'ouverture ne convient pas au furet, car il s'échapperait par les côtés.

Dans les boutiques, vous verrez une multitude de cages commerciales, toutes plus belles les unes que les autres. Elles se déclinent en différentes couleurs et ont parfois plusieurs étages. Le furet peut y accéder par de petites échelles ou des tubes de plastique. Ces grandes cages sont très appréciées des furets.

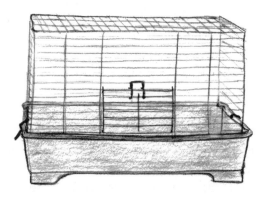

Cage avec base en plastique

La cage artisanale

Si vous avez l'âme d'un bricoleur, vous pouvez construire vous-même la maison de votre furet. Une charpente de bois entourée d'un grillage vous semble peut-être tout à fait adéquate, mais détrompez-vous! Le bois est poreux et emprisonne facilement les odeurs. Certains grillages en alliage de métal (zinc, plomb, cuivre) sont toxiques lorsque l'animal les mâchouille. Et que dire de tous les petits clous nécessaires pour faire tenir le tout : votre furet finira peut-être par en avaler un. Si vous voulez tout de même fabriquer une cage, pensez d'abord à la sécurité de votre animal. Du linoléum placé au fond de cette cage facilitera le nettoyage. Fixez-le bien pour éviter que votre furet n'en ingère.

Cage artisanale

Une pièce de la maison

Un furet peut vivre en liberté dans une pièce, mais celle-ci doit être d'une sécurité absolue. Il est toutefois plus sûr de mettre le furet en cage durant la nuit ou lorsque vous êtes absent de la maison.

La cage à fond grillagé

Ce type de cage n'est pas conseillé, car le furet se blesserait les pattes à cause du grillage. Si vous décidez quand même de loger votre furet dans une telle cage, recouvrez le grillage de linoléum. Ce sera plus confortable et sécuritaire.

Le fond de cage

Vous trouverez dans le commerce une multitude de produits destinés à recouvrir le fond de la cage des petits animaux, mais vous n'avez besoin de rien de tout cela pour votre furet. Apprenez-lui à faire ses besoins dans la litière et vous n'aurez plus qu'à lui fournir un morceau de tissu douillet.

Comme le furet adore creuser, le fait de répandre dans sa cage des copeaux de bois ou toute autre chose pourrait lui donner l'occasion de faire des dégâts. Il pourrait aussi en ingérer. De plus, la poussière est irritante pour les yeux et le système respiratoire. Les éternuements et les larmoiements seraient alors plus fréquents. Réservez donc l'usage de ces matières à sa litière.

Le bac à litière

Placez un bac à litière en plastique dans la cage, à l'endroit choisi par le furet. Un contenant rectangulaire fait l'affaire pourvu que les rebords soient bas. Les pattes du furet sont courtes et il pourrait se blesser l'abdomen sur des bords trop hauts (le mâle est particulièrement sensible, compte tenu de l'emplacement de son pénis).

Vous trouverez dans le commerce un bac à litière triangulaire conçu spécialement pour le furet. C'est la meilleure solution. Le devant est bas et la partie arrière, en coin, est plus haute. Le furet y accède facilement et les excréments ne tombent pas en dehors de la litière (il est normal que le furet soulève son derrière dans un coin pour faire ses besoins).

Il n'existe pas de produit miracle qui élimine totalement les odeurs ou qui diminue la fréquence du nettoyage. Enlevez les fèces rapidement et changez la litière souillée d'urine tous les jours. De cette façon, les émanations désagréables seront minimes.

Des exemples de produits

- Copeaux de bois : évitez les copeaux en bois de cèdre. Ils contiennent de l'acide plicatique qui favorise les maladies du système respiratoire et cause des irritations cutanées et des problèmes au foie. Les copeaux en bois blanc inodores constituent un bon choix. Utilisez un produit dépoussiéré. Les copeaux de bois dur trouvés chez les ébénistes peuvent faire l'affaire. L'artisan sera ravi de vous les offrir.
- Maïs concassé (*corn-cob* ou rafle de maïs) : les petits morceaux de maïs sont absorbants et éliminent assez bien les odeurs, mais ils peuvent causer un blocage intestinal au furet s'il en mange. Ce produit n'est pas conseillé.

- Papier journal : il est peu absorbant et doit être changé fréquemment. Taillez-le en petites lanières, il absorbera mieux les liquides.
- Papier recyclé compressé : ce type de litière est très absorbant et contrôle bien les odeurs. Il a le grand avantage de ne pas être poussiéreux.
- Litière pour chats : très bon choix si elle n'est pas parfumée. Achetez une litière de bonne qualité et dépoussiérée. Évitez absolument la litière agglomérante. Si votre furet en ingérait, elle formerait une boule semblable à du ciment dans son estomac. De plus, elle a tendance à coller aux pattes, autour de l'anus et sur le museau.

Remarque

- Le furet n'a pas l'habitude d'enterrer ses excréments. Quelques centimètres de produits au fond du bac suffisent.

Les accessoires

Voici maintenant quelques accessoires pour embellir la cage de votre furet.

Les bols de nourriture et d'eau

Voir le chapitre 5.

Le hamac

Le furet adore se blottir dans un hamac pour dormir. On trouve cet accessoire dans les animaleries, mais vous pouvez aussi vous amuser à le fabriquer vous-même. Choisissez un morceau de tissu carré ou rectangulaire dont les fils ne se tirent pas (fibres polaires, finette). Faites un ourlet à la machine. Taillez une petite ouverture aux quatre coins et glissez-y un crochet de rideau de douche en métal. Suspendez le tout au toit de la cage. Vous rendrez votre furet heureux !

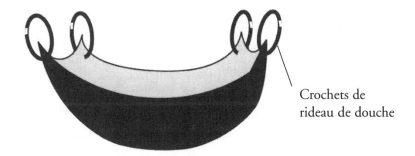

Crochets de
rideau de douche

Hamac

La tente

On trouve aussi cet accessoire dans le commerce, mais vous pouvez le bricoler. Taillez un rectangle de tissu identique à celui du hamac. Faites une bordure à la machine. Superposez le coin A au coin C ; le coin B au coin D. Faites une couture pour fixer le tout. La tente est alors formée. Taillez deux ouvertures pour placer les crochets de rideau de douche, puis suspendez la tente dans la cage.

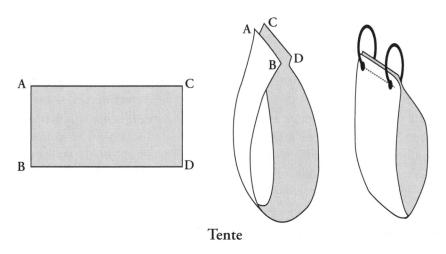

Tente

Le petit lit

Plusieurs furets aimeront dormir dans un lit en peluche (vendu dans les animaleries). Assurez-vous qu'il est lavable à la machine et jetez-le immédiatement si le furet commence à le débourrer.

Quelques accessoires pour le confort de la sieste :
- chandail (enlevez les boutons et la fermeture éclair) ;
- tee-shirt ;
- serviette éponge ;
- drap en flanelle pour bébé ;
- taie d'oreiller en tissu doux.

Conseils

- Éliminez rapidement tout tissu troué. Les griffes du furet s'y prennent facilement.
- Au besoin, nettoyez les accessoires en tissu. Les odeurs les imprègnent rapidement. N'employez pas de savon ni d'assouplissant trop parfumés. Certains furets développent des allergies (démangeaisons) au contact de ces produits.

Les jouets

Il est tout à fait naturel qu'un furet dorme plusieurs heures par jour, mais son besoin d'exercice et de stimulation mentale est bien réel. Dans la vie d'un furet, le jeu occupe une place importante. Il aime explorer son milieu et sa curiosité est insatiable. Il s'intéresse à tout ce qui est nouveau. Son hyperactivité l'empêche toutefois de se concentrer longtemps sur une même occupation, mais son attention est toujours intense.

Il vous invitera à participer à ses jeux en sautillant autour de vous et en tiraillant le bas de vos pantalons. Si vous l'ignorez, il reculera en faisant le dos rond et reviendra à la charge. Alors, gâtez-vous ! Donnez-

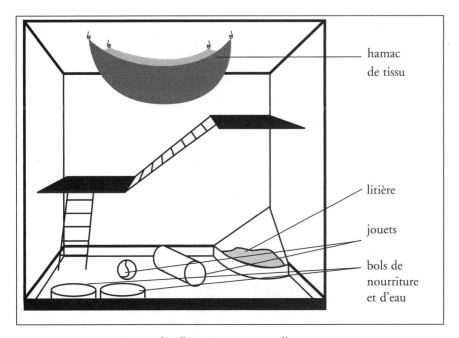

Exemple d'aménagement d'une cage

vous du bon temps. Vous verrez avec quelle facilité un furet peut trans-
former une activité banale en une véritable partie de plaisir.

Les jeux favoris du furet

- Lutter amicalement avec un autre furet, un chien, un chat ou son
  maître.
- Se frayer un passage sous les couvertures, l'édredon ou les oreillers.
  Lorsque vous faites le lit, profitez-en pour vous amuser avec lui.
- Jouer à cache-cache avec son maître.
- Fouiller les sacs de provisions et vous observer ranger les conserves.
  Il aime aussi inspecter les armoires afin de vérifier que tout est à sa
  place! Il se permet même à l'occasion de disposer les choses à son
  goût, c'est-à-dire sens dessus dessous.

- Participer au nettoyage et au ménage des tiroirs et des penderies.
- Superviser son maître qui sort la vaisselle du lave-vaisselle et qui la range.
- Suivre son maître qui passe le balai ou l'aspirateur.
- Faire ou défaire les valises.
- Envelopper les cadeaux d'anniversaire ou de Noël.
- Changer les objets de place dans sa cage et dans la maison.
- Voler des objets. (Le mot «furet» vient du latin *fur*, qui signifie «voleur».) Ce petit cleptomane pourrait subtiliser chaussette, foulard, cravate, sous-vêtement, bouchon de baignoire, trousseau de clés, brosse à cheveux, peigne, crayon, bijou, montre, appareil de commande à distance, etc.
- Cacher les objets volés. Vous serez surpris de découvrir sous un meuble ou dans un coin presque inaccessible un petit tas de nourriture et une collection plus ou moins importante de choses que vous cherchiez depuis longtemps.
- Tirer un bout de tissu ou une corde que vous tenez par une extrémité.
- S'agripper à une serviette que vous faites glisser sur le plancher.
- Se baigner dans un bassin d'eau peu profond.
- Sautiller sur place en faisant le dos rond quand vous frappez rapidement le sol du plat de la main. Le furet tout excité vocalise en s'éloignant, puis se rapproche de nouveau de votre main.

Certes le furet participe volontiers à des jeux ou à des activités amusantes, mais n'oubliez pas pour autant de lui procurer des jouets. Mille possibilités s'offrent à vous, mais la règle d'or est évidemment d'assurer sa sécurité.

Il est dans la nature du furet de tout mâchouiller et ses dents tranchantes viennent à bout des jouets les plus solides. Évidemment, tous les furets n'ont pas la même personnalité, et ce qui est sécuritaire pour l'un ne l'est pas nécessairement pour l'autre. Il reste qu'un furet qui s'amuse doit *toujours* être surveillé.

Vous trouverez ci-après des suggestions de jouets. À vous de juger s'ils sont indiqués pour votre furet. Mais d'abord, voici quelques conseils :

- Inspectez régulièrement les jouets de votre furet et, s'ils sont abîmés, jetez-les.
- Ne laissez que des jouets sûrs et indestructibles dans sa cage. Sans surveillance, il pourrait s'acharner à les mâchouiller et en avaler des morceaux.
- Si votre furet adore les jouets en latex mous qui émettent des couinements, insérez-les dans une chaussette dont vous aurez noué le haut. Ainsi, il pourra mordiller le jouet à travers le tissu sans risquer d'avaler un morceau de latex. Vérifiez fréquemment l'état de la chaussette.
- Faites succéder régulièrement ses jouets. L'intérêt du furet est ravivé lorsqu'on lui présente un jouet qu'il n'a pas vu depuis quelque temps.

À éviter

- Les jouets en latex mous : ils sont fragiles et de petits morceaux avalés par l'animal pourraient entraîner un blocage intestinal.
- Les jouets munis de petites pièces facilement détachables.
- Les jouets avec des ouvertures dans lesquelles le furet pourrait se prendre la tête.

Des exemples de jouets adéquats

- Jouets en plastique dur pour les enfants.
- Aire de jeux pour enfants avec glissoire.
- Maisonnettes et tunnels pour chats.
- Sacs en papier : le furet aime y entrer et s'y cacher.
- Sacs d'emballage en plastique. Prenez garde : si le furet reste prisonnier dans le sac, il y a des risques de suffocation. De plus, un blocage intestinal est à prévoir s'il en ingère des lambeaux. Cependant, si vous le surveillez, le furet aura un plaisir fou à se rouler sur le sac, à tenter d'y entrer. Les bruissements du plastique l'exciteront.

- Jouets en tissu pour chats. Le furet les transporte dans sa gueule, les pousse du museau et les cache dans ses endroits favoris. Le furet n'est pas sensible à l'odeur de l'herbe à chat. Il importe peu que le jouet en contienne ou pas.
- Cordes en coton nouées. Ce jouet conçu pour les chiens est parfait pour les furets.
- Balles en caoutchouc qui contiennent un grelot.
- Taies d'oreiller : le furet aime s'y glisser.
- Jambes de pantalon : découpez les jambes de vos vieux jeans. Votre furet appréciera grandement ces longs tunnels. N'utilisez jamais la partie supérieure du pantalon où se trouvent les boutons et la fermeture éclair. L'animal pourrait avaler ces petites pièces. Évitez aussi les pantalons de lainage. Les griffes du furet s'accrochent plus facilement dans ce type d'étoffe.
- Tubes en chlorure de polyvinyle (CPV) ou en carton, tuyau de sécheuse à linge. Le furet adore les tunnels. Le diamètre de ces cylindres ne doit pas être inférieur à 10 cm (4 po). Sinon, le furet pourrait rester pris à l'intérieur et s'étouffer.

Remarques

- Rouleaux de papier hygiénique ou d'essuie-tout : si vous décidez quand même d'en offrir à votre furet, assurez-vous qu'il n'engage pas la tête dans l'ouverture : prisonnier, il pourrait suffoquer rapidement. Entaillez les rouleaux sur toute leur longueur pour les rendre sécuritaires.
- Animaux en peluche : enlevez les petites pièces facilement détachables.
- Ballons.
- Balles de ping-pong. Le furet les pousse du museau, les chasse ou les transporte dans sa gueule. Ne soyez pas étonné d'en retrouver dans sa cachette préférée. Ces balles plongées dans un bac d'eau occupent longuement le furet (ne mettez pas trop d'eau, juste ce qu'il faut pour que les balles ne touchent pas le fond). Il apprécie particulièrement cette activité l'été, lorsqu'il fait chaud.
- De vieilles chaussettes nouées amuseront votre furet. Le problème est qu'il ne peut distinguer ce jouet de votre paire de chaussettes neuves Ralph Lauren !
- Boîtes en carton : les possibilités sont illimitées. Vous pouvez les empiler pour former un escalier ou les installer en forme de tunnel. Pratiquez des ouvertures çà et là. Une seule boîte comportant plusieurs ouvertures sera aussi très attrayante.
- Panier rempli de vêtements. Il y a de fortes chances que vous y retrouviez votre furet endormi, confortablement installé après ses jeux.
- Corbeille pleine de papiers chiffonnés. Vous retrouverez ces papiers éparpillés dans toute la pièce. Malgré le grand ménage qui vous attend, vous vous amuserez à observer votre furet.
- Quelques pièces de monnaie dans une fiole de médicaments. Le bruit des pièces stimule le furet, mais le bouchon doit être bien fermé : votre animal tentera peut-être d'aller chercher les pièces de monnaie dans la fiole. Surveillez-le.

- Bouteille de boisson gazeuse vide (format moyen). Enlevez le bouchon, car le furet pourrait le mâcher et en avaler un morceau.
- Vieux trousseau de clés. Comme pour les chaussettes, le furet s'imaginera que toutes les clés de la maison lui appartiennent ! Vous ne pourrez pas lui en vouloir si un jour il dérobait vos clés d'auto ou celles de vos invités.
- Panier de feuilles mortes. Le furet pourra s'adonner à l'une de ses activités favorites : creuser ! Il appréciera aussi le craquement des feuilles sèches. Si vous êtes brave, remplissez un contenant avec de la terre (sans produits chimiques ni pesticides) et laissez votre furet donner libre cours à son instinct de fouisseur. Un bon bain clôturera cette activité !
- Neige dans la baignoire. Enfouissez-y ses jouets favoris, vous serez impressionné par l'effort qu'il déploiera pour les retrouver.
- Sac à main usagé ou sac à dos : la curiosité de votre furet le poussera à y entrer et à explorer ces sacs en quête d'un possible trésor. Il les traînera dans toute la maison et s'endormira dedans.

CHAPITRE 5

L'alimentation

Le furet est un carnivore au sens strict. Son régime doit donc se composer d'aliments d'origine animale. Son système digestif est court (environ la moitié de la longueur de celui du chat) et sa digestion est rapide (trois à quatre heures chez l'adulte ; une heure ou deux chez le jeune). Ainsi, pour pallier la faible performance de son système digestif, l'alimentation du furet doit être riche en bons éléments nutritifs, bien digestibles et d'excellente qualité. Un furet normal prend donc de fréquents petits repas (7 à 10 en 24 heures).

Le furet est particulièrement sujet aux carences en protéines, matières grasses et autres éléments nutritifs essentiels. Comme il ne mange que pour combler ses besoins caloriques, trop d'aliments médiocres (gâteries sucrées) le priveraient de nourriture sèche. Le premier symptôme du furet mal nourri est la perte de la brillance et de la douceur de son pelage. Vous devez donc résister à ces jolis grands yeux qui vous implorent sans cesse. Ne lui offrez des gâteries qu'occasionnellement et en petite quantité (5 ml ou 1 c. à thé).

De bonnes gâteries

- Melon d'eau: enlevez l'écorce et les pépins.
- Céréales Cheerios.
- Petits morceaux de concombre épluché.
- Œuf dur.
- Foie de volaille bien cuit.
- Banane.
- Raisins sans pépins et sans peau.
- Linatone ou Ferretone (ou tout autre produit riche en acides gras essentiels recommandé par votre vétérinaire).
- Purée de viande pour bébé.

Des gâteries à éviter

- Os: en le mâchouillant, le furet avale des fragments qui peuvent provoquer un blocage intestinal. Si le morceau est pointu, il peut transpercer l'estomac ou l'intestin.
- Œuf cru: la bactérie *Salmonella sp.* se trouve à l'occasion dans l'œuf cru. Elle provoque des dérangements gastro-intestinaux et la diarrhée. L'infection peut être mineure, mais peut parfois nécessiter une hospitalisation. La cuisson détruit la bactérie.

- Viande crue : certains parasites microscopiques sont parfois présents dans la viande crue. La cuisson les tue.
- Chocolat : il contient de la théobromine, qui, même à petites doses, peut tuer votre animal. Si votre furet en ingère, consultez rapidement votre vétérinaire. S'il ne peut recevoir des soins rapidement, vous pouvez tenter de le faire vomir. Demandez conseil à votre vétérinaire. L'administration d'une petite quantité de charbon activé (vendu à la pharmacie) aide à limiter l'absorption de théobromine par l'intestin.

Signes cliniques d'une intoxication : soif, diarrhée, incontinence urinaire, agitation, spasmes musculaires, convulsions, coma, mort.

- Aliments salés ou sucrés.
- Alcool : une petite gorgée de cognac ne guérira pas votre furet plus rapidement. Évitez absolument toute boisson alcoolisée.
- Boissons gazeuses : elles contiennent trop de sucre et les colas contiennent de la caféine, un excitant indésirable pour les animaux domestiques.
- Café ou thé : ils contiennent de la caféine.
- Carottes crues ou tout autre légume dur : le furet mastique très peu sa nourriture. Un morceau de légume un peu trop gros peut causer un blocage intestinal.
- Oignons : ils sont toxiques. Ils provoquent une anémie par destruction des globules rouges.
- Noix, arachides, amandes et autres : ces aliments bloquent facilement l'intestin.

Selon l'origine du furet et son usage (animal de compagnie ou destiné au travail), les recommandations pour son alimentation peuvent varier beaucoup. Dans certains pays, les furets sont nourris de proies entières (poussins, souris, rats). Ce régime ressemble peut-être à l'alimentation naturelle d'un animal chasseur, mais il n'est pas toujours facile d'en contrôler la qualité. Suivant la provenance de la proie, elle peut être contaminée par des parasites ou des bactéries. En Amérique du Nord et dans de plus en plus de pays, les furets sont nourris de croquettes sèches spécialement conçues pour eux.

La nourriture sèche

Choisissez bien la nourriture sèche de votre furet. Apprenez à lire et à interpréter la liste des ingrédients et l'analyse garantie du produit. Trois éléments principaux de cette analyse doivent retenir votre attention : les protéines, les matières grasses et les fibres. La liste des ingrédients vous renseignera sur leur origine.

- Protéines : de 30 à 40 % de protéines est idéal pour un furet adulte ; de 40 à 42 % est recommandé pour les individus en reproduction. La grande majorité de ces protéines doit être d'origine animale et d'excellente qualité. Rappelez-vous que la qualité des protéines est aussi importante que leur concentration dans la moulée. Recherchez le premier ingrédient suivant : « Farine de sous-produits de volaille, poulet, farine de volaille ou farine de poulet ». D'autres sources de protéines sont convenables, par exemple les œufs, le foie, le hareng. Elles peuvent apparaître plus bas dans la liste des ingrédients.
- Matières grasses : de 18 à 22 % est adéquat ; de 22 à 25 % est recommandé pour la reproduction. Ces lipides doivent être d'origine animale. Les vieux furets devraient avoir idéalement un régime moins riche en gras (18 %).

Les protéines et les matières grasses doivent constituer les principales sources d'énergie du furet. Les hydrates de carbone sont une source accessoire de calories et se trouvent idéalement dans le riz (ou la farine de riz) incorporé à la nourriture sèche. Il est très acceptable de retrouver le riz à la deuxième ou troisième position dans la liste des ingrédients.

Par contre, les farine de soya, maïs, gluten de maïs ou de maïs moulu ne devraient pas se retrouver au premier ni au deuxième rang de cette liste.

Le furet tolère mal les fibres. Elles ne devraient pas composer plus de 2 à 3 % du produit (voir l'analyse garantie). Au-delà de cette proportion, elles calment la faim, ce qui diminue l'apport essentiel de protéines et de matières grasses.

Le tableau suivant compare quelques types de nourriture sèche. Il est facile de constater qu'il est primordial de bien lire les composants de ces aliments avant de les offrir à votre furet.

Tableau des différents types de nourriture sèche

	Pour furet (1)	Pour furet (2)	Pour chaton (3)	Pour chaton (4)	Pour chat (5)	Pour chat (6)	Pour chien (7)
Pourcentage de protéines	38	40	35	34	30	31,5	21
Pourcentage de matières grasses	22	20	8,5	22	10	11	10
Pourcentage de fibres	2,5	2	4	3	5	4,5	4,5
Cinq premiers ingrédients	– Farine de volaille – Graisse de volaille – Œufs entiers en poudre – Maïs – Riz de brasserie	– Farine de poulet – Graisse animale – Blé moulu – Farine de blé – Farine de sous-produits de volaille	– Farine de gluten de maïs – Farine de soya – Maïs à grains entiers – Blé entier – Sous-produits de volaille en poudre	– Poulet – Farine de sous-produits de poulet – Farine de riz – Farine de maïs – Gras de poulet	– Maïs – Farine de sous-produits de poulet – Farine de soya – Farine de gluten de maïs – Farine de hareng	– Farine de sous-produits de volaille – Maïs jaune moulu – Blé – Farine de gluten de maïs – Farine de soya	– Maïs jaune moulu – Farine de poulet – Farine de gluten de maïs – Farine de soya – Gras animal préservé avec un mélange de tocophérol
Excellente : 1 et 2			Bonne : 4			À éviter : 3, 5, 6, 7	

Conseils

- Ne nourrissez pas votre furet deux fois par jour comme on le fait avec le chien. Le métabolisme rapide de ce petit mustélidé n'est pas adapté à cette routine. Entre les repas, il aurait trop faim et pourrait devenir agressif et mordre compulsivement. Assurez-vous qu'il a de la nourriture fraîche en tout temps.

- Le furet est rarement enclin à l'obésité. Il n'est donc pas nécessaire de rationner sa nourriture. Il mange de 7 à 10 petits repas par jour, le plus souvent au réveil.

- Il n'est pas recommandé de donner continûment au furet de la nourriture en conserve. Celle-ci contient beaucoup d'eau et est donc moins concentrée en éléments nutritifs. La nourriture sèche plus condensée convient davantage au métabolisme du furet. De plus, la nourriture en conserve contribue à l'accumulation du tartre dentaire. Et puis le furet adore cacher des aliments un peu partout dans la maison. Imaginez l'odeur s'il le faisait avec une telle pâture!

- Ne nourrissez jamais votre furet avec de la nourriture sèche pour chiens. Elle est trop riche en fibres et contient trop de protéines végétales, qui sont reliées aux problèmes urinaires des furets, troubles particulièrement préoccupants chez les femelles gestantes (voir chapitre 8). De plus, la composition en vitamines et en minéraux ne convient pas au furet. Un auteur rapporte que des bébés furets, habitués à la nourriture sèche pour furet, furent nourris par erreur avec de la nourriture sèche pour chien pendant quelque temps. Ils sont tous tombés malades.

- Une nourriture sèche de bonne qualité est généralement chère, mais cela certifie la qualité des protéines qui la composent. Et puis vous économiserez sur la quantité : votre animal mangera moins pour combler ses besoins et gaspillera peu, car le goût de cette nourriture est plus attrayant. En outre, il sera moins souvent malade. De plus, le furet nourri avec une excellente nourriture sèche (mieux digérée et assimilée) produit moins de fèces et celles-ci dégagent moins d'odeurs.

- On ne doit pas convertir un furet au végétarisme, comme il est possible de le faire avec le chien. Sa santé serait menacée.
- Choisissez une nourriture sèche contenant de la taurine, un acide aminé. Le manque de taurine cause des problèmes cardiaques chez les chats, et certaines études tendent à démontrer qu'il en serait de même chez le furet.
- Évitez toute nourriture sèche dont le premier ingrédient est un végétal.
- Ne tentez pas de faire perdre du poids à votre furet en lui donnant des produits riches en fibres destinés aux chiens ou aux chats (par exemple Science Diet R/D, de Hill's). Vous pourriez le rendre malade. Demandez plutôt conseil à votre vétérinaire, qui pourra vous dire si votre furet est réellement obèse. Si cela est nécessaire, il vous expliquera comment contrôler le poids de votre animal. Rappelez-vous qu'il est tout à fait normal qu'un furet gagne du poids à l'automne. Il le perdra au printemps.
- La majorité des furets n'aiment pas les nourritures sèches de poisson pour les visons. Il est préférable de ne pas leur en offrir.
- Conservez la nourriture sèche au frais, idéalement au réfrigérateur, dans un plat fermé hermétiquement. De cette manière, vous éviterez que les matières grasses rancissent et empestent la nourriture.
- En été, lorsqu'il fait très chaud, le furet a moins d'appétit. Ne laissez pas la nourriture sèche dans son bol trop longtemps : la chaleur fait rancir les corps gras. Renouveler fréquemment la nourriture.
- En automne et en hiver, la quantité de nourriture que mange le furet augmente d'environ 30 %, mais lorsque les jours s'allongent son appétit diminue. Un furet qui n'est pas soumis à la variation naturelle de la durée des jours ne verra ni son poids ni son appétit changer.
- Les allergies alimentaires sont rares mais possibles. Les signes caractéristiques sont l'enflure de la face et des démangeaisons. Les

paupières, la région nasale et les oreilles sont particulièrement affectées. Votre vétérinaire fera certains tests pour distinguer l'allergie alimentaire des autres maladies aux symptômes similaires (parasites, teigne). Un régime adapté est nécessaire pour les animaux souffrant d'allergies alimentaires.

- Entre deux et trois mois, le jeune furet s'imprègne de l'odeur et de la saveur de sa nourriture et y restera fidèle. Voilà pourquoi certains furets sont si capricieux. Effectuez tout changement de nourriture graduellement tout en vous assurant que le nouvel aliment est bien accepté.

Petit guide

1re journée : $^1/_4$ nouvelle nourriture sèche, $^3/_4$ nourriture sèche habituelle
2e journée : $^1/_2$ nouvelle nourriture sèche, $^1/_2$ nourriture sèche habituelle
3e journée : $^3/_4$ nouvelle nourriture sèche, $^1/_4$ nourriture sèche habituelle
4e journée : nouvelle nourriture sèche

- Une alimentation de piètre qualité peut causer une carence en acides gras essentiels. Votre animal a alors une fourrure sèche et cassante. Sa peau aussi est sèche et il a des démangeaisons. Changez sa nourriture et donnez-lui du Linatone (ou tout autre produit riche en acides gras essentiels recommandé par votre vétérinaire) à raison de 1 ml ($^1/_5$ c. à thé) une fois par jour pendant un mois. Tout rentrera dans l'ordre.
- Aucun supplément vitaminique n'est nécessaire si votre furet mange une bonne nourriture sèche.
- Vous pouvez donner de la nourriture sèche pour chaton à votre furet s'il vous est impossible de vous procurer une nourriture sèche pour furet. Lorsqu'il aura grandi, ne le nourrissez pas avec une nourriture sèche pour chat adulte, car elle ne contient pas assez de protéines. Offrez-lui plutôt celle pour chaton toute sa vie. Évitez les nourritures sèches médiocres et examinez bien les ingrédients.

- La nourriture sèche doit être fraîche et sentir bon. Attention à celles vendues en vrac qui sont parfois moins fraîches ou périmées. Achetez votre nourriture sèche dans son emballage original sur lequel est inscrite la date de péremption.

L'eau fraîche

Le furet doit avoir de l'eau fraîche en tout temps. Selon sa personnalité, il préférera boire à la bouteille ou dans un bol.

- Bouteille : les bouteilles distributrices d'eau vendues dans les animaleries sont bien adaptées aux besoins du furet. Elles ont l'avantage de garder l'eau propre, loin des excréments. Vérifiez le mécanisme de distribution. Touchez la bille à l'extrémité de la pipette pour vous assurer que le liquide s'écoule bien. Certaines bouteilles ont un défaut de fabrication et laissent échapper sans cesse des gouttes au fond de la cage. Remplacez la bouteille défectueuse, car un environnement humide est malsain pour votre animal. Assurez-vous que le furet comprend le fonctionnement de ces accessoires. S'il n'a jamais bu à la bouteille, laissez un bol d'eau dans la cage les premiers jours. Tous n'ont pas la même facilité d'adaptation.
- Bol : le bol d'eau doit être lourd, car le furet s'amuse parfois à le renverser. Si le bol est dans un coin, il se peut qu'il l'utilise pour faire ses besoins. La céramique est préférable au plastique : elle est plus lourde et le furet ne peut pas la mâchouiller ni l'avaler. L'usage d'un bol est préférable pour les vieux furets, les individus affaiblis ou en convalescence : ils ont parfois de la difficulté à se lever pour atteindre la pipette de la bouteille. Ils se découragent aussi lorsque l'eau ne s'écoule pas assez rapidement et ils ne boivent pas suffisamment.

CHAPITRE 6

Les soins et l'éducation

Les soins

Les soins à prodiguer au furet sont comparables à ceux que l'on donne aux chiens.

Le bain

L'odeur d'un furet ne sera jamais aussi neutre que celle d'un chat ou d'un chien. Les glandes sébacées de ce mustélidé sécrètent une substance huileuse qui lustre le pelage et dégage une senteur musquée plus ou moins prononcée. La tolérance de chacun à cette odeur varie et il est impossible de l'éliminer totalement. Des bains fréquents assèchent la peau et provoquent souvent des démangeaisons.

Paradoxalement, le fait de laver trop souvent votre animal augmentera l'intensité de son odeur naturelle. En effet, pour lutter contre l'assèchement, la peau produira plus de sécrétions sébacées qui s'accumuleront sur les poils rendus poreux et secs.

Pour le furet qui aime l'eau, la routine du bain est très amusante. Dans le cas contraire, agissez doucement et ne plongez pas l'animal dans une grande quantité d'eau. Laissez-la plutôt couler directement sur lui. L'eau doit être tiède et le rinçage minutieux. Tout résidu de savon peut entraîner des irritations cutanées. Gardez le furet au chaud pendant tout le processus et séchez-le rapidement avec un sèche-cheveux à basse intensité. S'il panique au son de l'appareil, laissez-le sécher naturellement dans un endroit chaud à l'abri des courants d'air.

Le choix du shampooing est important : ceux à l'odeur prononcée peuvent irriter la peau du furet. Évitez les shampooings pour bébé ou tout autre produit destiné aux humains, si doux soient-ils. Leur pH et leur composition ne conviennent pas aux animaux, mais vous trouverez dans les cliniques vétérinaires des shampooings conçus pour eux. Idéalement, ne lavez pas votre furet plus d'une fois par mois. Un bain aux deux semaines est acceptable si l'on utilise un shampooing très doux.

Remarques

- Les shampooings secs (en poudre) ne sont pas conseillés. Ils assèchent la peau et le furet pourrait ingérer les résidus en se léchant.
- Entre les bains, lavez simplement votre furet à l'eau claire.
- Le furet est frileux. Il aime que le shampooing soit tiède. Faites tremper la bouteille quelques minutes dans l'eau chaude.
- L'odeur du furet est en grande partie absorbée par les tissus qui sont dans sa cage. Lavez-les souvent. Se limiter à baigner le furet ne résoudra pas le problème des odeurs.
- Ne mettez jamais de parfum ni d'eau de Cologne sur votre furet. Ces substances pourraient irriter la peau et le système respiratoire de l'animal. Elles peuvent même provoquer des allergies.
- Ne diluez pas le shampooing en mettant de l'eau dans la bouteille : les agents de conservation n'arriveraient plus à contrôler la croissance des micro-organismes et le produit se dégraderait rapidement.

Le brossage

Le brossage a pour but de démêler le pelage, d'enlever les poils morts et de répartir uniformément les huiles naturelles. La session de brossage doit être agréable, tant pour vous que pour votre furet. Commencez donc cette routine tôt dans sa vie.

Ajustez la fréquence des brossages en périodes de mue (printemps et automne).

Remarques

- Nettoyez bien la brosse à l'eau tiède et au savon après chaque usage.
- Ne laissez pas traîner la brosse. Votre furet pourrait la voler!

Les soins des griffes

On doit tailler les griffes d'un furet trois ou quatre fois par année, ou plus fréquemment si nécessaire. Des griffes trop longues s'accrochent facilement dans les tapis et les vêtements, et risquent de se casser, ce qui entraîne une douleur vive si le nerf est touché. Cela pourrait même provoquer un saignement. Vous pouvez couper vous-même les griffes de votre furet ou confier la tâche à votre vétérinaire. Une taille bien effectuée ne doit pas provoquer de saignement. Offrez du Linatone ou du Nutripet (ou toute autre gâterie) à votre animal pendant que vous taillez ses griffes. Occupé à lécher la friandise, il restera immobile pendant quelques secondes. La personne qui tient le furet peut donner la gâterie à la cuillère. Si personne ne peut vous aider, couchez votre furet sur vos cuisses. Déposez une bonne quantité de sa friandise préférée sur l'abdomen et hâtez-vous de le «manucurer»!

Voici le matériel nécessaire:
- Un coupe-ongles, un coupe-griffes pour chat ou une petite pince;
- Un produit coagulant: poudre hémostatique ou bâton de nitrate d'argent. La farine ou la fécule de maïs peuvent convenir;
- Une lime d'émeri.

Le furet possède des griffes blanches; on peut voir le vaisseau sanguin par transparence. Coupez quelques millimètres en avant de la partie rosée. Soyez prudent, car une griffe taillée trop courte peut saigner abondamment.

Si, par inadvertance, vous faites saigner une griffe, exercez une pression sur le doigt blessé : cette manœuvre ralentit l'épanchement de sang. Épongez le tout avec un coton sec. Appliquez un produit coagulant sur le bout de la griffe. Il est parfois nécessaire d'en mettre plus d'une fois. Assurez-vous toutefois d'avoir bien épongé le sang entre chaque application. Quand le saignement est stoppé, relâchez graduellement la pression sur le doigt afin d'éviter un retour de sang brutal. Si vous n'avez pas de produits hémostatiques, utilisez de la farine ou de la fécule de maïs. Ne mouillez jamais une griffe qui saigne : cela aggraverait l'hémorragie.

Remarque

- Une griffe fraîchement taillée est parfois un peu rugueuse. Quelques coups de lime régleront le problème.

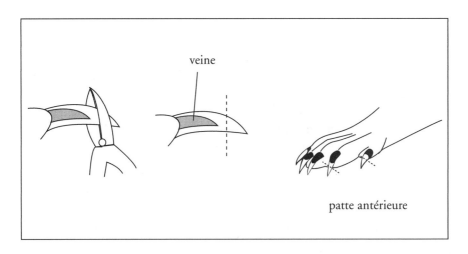

Soins des griffes

L'onyxectomie, ou dégriffage

On ne doit pas dégriffer un furet, car cette chirurgie implique l'amputation de la première phalange (contrairement au chat auquel on n'enlève que les griffes). En outre, la douleur postopératoire est très grande et il y a un risque élevé de complication. De plus, un furet dégriffé peut éprouver des problèmes de traction.

L'hygiène des oreilles

Le cérumen (sécrétion des oreilles) du furet est brun-noir. Produit en assez grande quantité, il souille le pavillon et l'intérieur des oreilles. Un nettoyage régulier avec un produit capable de dissoudre le cérumen est nécessaire. Imbibez de ce liquide un mouchoir en papier et frottez le pavillon des oreilles. N'utilisez pas de coton-tige : il ne fait que repousser le cérumen au fond de l'oreille. Pour un nettoyage en profondeur, remplissez l'oreille avec ce liquide nettoyant et massez bien. Essuyez l'excédent. Le furet évacue lui-même les plaques de cérumen en secouant la tête.

Remarques

- N'utilisez pas d'huile pour nettoyer les oreilles de votre furet. Ce surplus de gras est contre-indiqué, car l'oreille contient déjà du cérumen très huileux.
- Nettoyez les oreilles de votre furet après chaque bain, car une accumulation d'eau favorise les otites. Les produits nettoyants pour oreilles les assécheront.

L'hygiène des dents

Avec le temps, les dents de votre furet perdent de leur blancheur. Le tartre s'y dépose et provoque des gingivites (inflammation des gencives). Des dents non entretenues se déchaussent et tombent. Les abcès dentaires sont des complications occasionnelles.

Furet chocolat

Furet chocolat

Furet argenté avec marques blanches

À gauche: furet chocolat avec marques blanches
À droite: furet zibeline

La prévention est primordiale. Brossez régulièrement les dents de votre furet. Utilisez les petites brosses à dents conçues pour les chats. Un morceau de coton fait aussi l'affaire. L'utilisation de pâte dentifrice pour animaux est conseillée. Les saveurs de malt ou de poulet sont les préférées des furets. Insistez sur les molaires de l'animal, là où le tartre s'accumule plus facilement.

Remarques

- N'employez jamais de pâte dentifrice pour les humains : votre animal serait malade en l'ingérant.
- Lorsque le tartre s'accumule sur les dents, un détartrage est nécessaire. On nettoie et polit les dents sous anesthésie générale et on applique un traitement au fluor. Au besoin, on effectue des extractions.

La contention

Même si vous avez l'impression que votre furet est en caoutchouc et qu'il est très robuste, vous ne devez pas le tenir n'importe comment. Une contention douce et stable vous permettra de calmer un furet très remuant. Vous éviterez qu'il tombe et se blesse. La plupart des furets détestent être tenus serrés. Préférez une approche amicale et confiante. Glissez une main sous le thorax de l'animal et soulevez-le doucement. De l'autre main, supportez son arrière-train. Vous préviendrez des blessures au dos. Placez ensuite le furet contre vous pour stabiliser la contention.

Contention adéquate

Contention occasionnelle

Remarques

- Si vous devez manipuler un furet turbulent, enveloppez-le dans une serviette éponge. Elle vous protégera aussi des morsures s'il est agressif. L'usage de gants épais pour attraper un animal nerveux ou agressif ne fait que l'effrayer davantage.
- À l'occasion, vous pouvez saisir votre furet par la peau du cou comme le ferait une mère avec ses petits. Dans cette position, le furet bâille presque automatiquement. Cette contention peut être utile pour examiner la cavité orale ou pour effectuer des interventions qui déplaisent au furet et qu'il ne vous laisserait pas faire autrement (laver les oreilles ou tailler les griffes). N'abusez pas de cette technique : elle ne favorise pas les liens affectifs avec l'animal.

La gériatrie

Les furets vieillissent mal. Ils sont souvent malades et atteints de cancer. Plus de 50 types de tumeurs différentes ont été décrites chez les furets. Même si votre furet a la chance de vieillir en bonne santé, vous remarquerez que, tout comme chez les humains, il accuse le poids des ans. De plus en plus sage, il passera plus de temps à se reposer. Vous serez ravi de constater qu'il apprécie maintenant les siestes sur vos genoux et les longues séances de câlinerie. L'arthrite entrave parfois ses mouvements. Pensez donc à abaisser le bord de la litière pour la rendre plus accessible. N'hésitez pas à remplacer le bac de litière par une simple couche de papier journal si vous voyez que cela facilite la vie de votre animal. Le furet vieillissant perd graduellement de ses muscles et de sa force. Sa démarche devient un peu hésitante. L'apparition de cataractes donne un aspect bleuté à ses yeux. Sa vue se voile, il peut devenir aveugle, mais ce handicap ne nécessite pas l'euthanasie : un furet aveugle peut très bien se débrouiller, à condition que les accessoires ne soient pas constamment déplacés dans sa cage. Vous pouvez également lui permettre de se dégourdir les pattes dans la maison. Il mémorisera rapidement les obstacles à éviter, notamment l'emplacement des meubles. Il ne se cognera le museau que très rarement. Pensez tout de même à le protéger des chutes dans les escaliers en installant une barrière. Votre furet aveugle appréciera grandement la compagnie d'un congénère plus jeune qui pourra lui servir de guide à l'occasion.

Des problèmes dentaires peuvent incommoder un furet âgé. L'accumulation de tartre favorise les infections de la bouche et les abcès. Faites détartrer les dents de votre animal au besoin. Si votre furet vieillissant tombe malade, prodiguez-lui les meilleurs soins lors de sa convalescence (voir chapitre 10). Par de multiples attentions, vous le rendrez heureux.

Le furet prend rapidement de l'âge. Grossièrement, on pourrait dire qu'à chaque jour il vieillit d'environ une semaine.

Tableau comparatif	
Temps réel	**Âge estimé du furet**
3 mois	2 ans
6 mois	4 ans
1 an	8 ans
2 ans	16 ans
3 ans	25 ans
4 ans	33 ans
5 ans	41 ans
6 ans	50 ans
8 ans	66 ans
10 ans	83 ans
12 ans	100 ans

Remarques

- On considère comme mature un furet qui a entre quatre et cinq ans. Il est vieux entre six et huit ans. Et c'est un vieillard à partir de neuf ans.
- Installez des tapis sur les planchers de bois ou sur les tuiles glissantes. Le vieux furet s'y déplacera avec plus d'aisance et s'y amusera en toute sécurité.
- Ne mettez pas la cage de votre vieux furet au sous-sol. L'humidité est néfaste pour l'arthrite et les vieux os.

L'éducation

Le furet a la capacité d'apprendre certaines choses. Cependant, en raison de son esprit volage, l'apprentissage nécessitera beaucoup de patience de votre part. Vous devrez répéter souvent les mêmes choses.

L'entraînement à l'utilisation d'une litière

On ne peut attendre du furet une propreté absolue. Sa digestion est rapide et il défèque plusieurs fois par jour, la plupart du temps au cours du premier quart d'heure après son réveil. Son instinct le pousse à faire ses besoins dans le premier coin qu'il rencontre. S'il est occupé à fureter, il ne retournera pas nécessairement dans sa cage.

Pour un furet, la maison est remplie de coins intéressants (les encoignures ; l'angle formé par le canapé et le mur ou par une boîte déposée près du bureau ; etc.). Autant de lieux où il peut se soulager. Quand il joue à l'extérieur de sa cage, mettez-le fréquemment dans sa litière pour lui rappeler qu'elle est là.

Méfiez-vous quand il renifle à la recherche d'un coin et qu'il y recule. Il lève alors la queue, puis l'arrière-train, et il fait ses besoins.

Au moindre signe avant-coureur, déposez-le dans la litière et récompensez-le quand il a terminé. Les renforcements positifs sont beaucoup plus efficaces que les punitions. Ne mettez jamais le museau du furet dans ses fèces et ne le frappez jamais s'il s'est oublié. Il ne comprendrait pas le message.

L'enseignement de la propreté débute dans la cage. Déposez une litière dans le coin choisi par le furet. Elle doit être assez spacieuse. Imprégnez-la de son odeur en y déposant une selle. Prenez soin de bien fixer la litière à la cage, car le furet pourrait s'amuser à la renverser. Mettez-y le furet après chaque somme et quelques heures après ses repas. Réveillez le furet à l'occasion pour l'y déposer. Ne le sortez de la cage que lorsqu'il aura fait ses besoins. Cet entraînement répétitif est plus efficace chez le jeune furet que chez le sujet plus âgé qui a développé de mauvaises habitudes.

Quand il a compris le principe, vous pouvez sortir le furet de sa cage pour le mettre dans une petite pièce où vous aurez pris soin d'installer plusieurs litières (dans les coins!). À mesure qu'il les utilise, agrandissez graduellement son territoire en ajoutant des litières. Avec le temps, vous enlèverez celles qu'il n'utilise jamais.

Conseils

- Si votre furet dort dans sa litière, donnez-lui une petite boîte où il pourra faire sa sieste.
- Le papier journal mis par terre peut remplacer les litières. Fixez-le bien, sinon le furet aura un plaisir fou à se glisser dessous. Un morceau de linoléum placé sous le papier protégera le plancher.
- Nettoyez soigneusement les endroits où le furet s'est soulagé. Utilisez du vinaigre, du jus de citron, de l'alcool à friction avec de l'eau, du Ferret-Off (vendu dans les cliniques vétérinaires), ou un mélange d'une partie de vinaigre pour trois parties d'eau gazéifiée (soda). Évitez les nettoyants ménagers ammoniaqués: leur odeur attire certains furets.

- Une litière très souillée rebute le furet. Enlevez quotidiennement les excréments solides et changez la litière au moins deux ou trois fois par semaine.
- Un furet entraîné à utiliser sa litière peut parfois oublier ses bonnes manières pour toutes sortes de raisons :
  - Il est dans un nouvel environnement et sa routine a changé ;
  - Ses litières ont été déplacées ou elles sont trop souillées ;
  - Il est jaloux d'un nouvel animal arrivé dans la maison ;
  - Il prend les mauvaises habitudes d'un autre furet non entraîné ;
  - Il n'aime pas la présence d'invités ;
  - Il ne veut pas partager sa litière avec un autre animal ;
  - Il veut vous punir, car vous l'avez contrarié ;
  - Ses bols de nourriture et d'eau sont trop près de sa litière ;
  - Il est malade ;
  - Il est vieux et a de la difficulté à entrer dans la litière.
- Un furet qui se repose dans vos bras et qui devient soudainement très agité a probablement envie de faire ses besoins. Déposez-le dans sa litière.
- Le furet retrouve sa litière par l'odeur. N'oubliez pas de déposer des selles dans chaque litière lorsque le furet est en période d'entraînement.

Les mordillements du furet

Tout comme le chiot, le jeune furet aime mordiller ce qui lui tombe sous la dent, même vos mains. Il le fait sans malice, mais ce comportement ne devrait pas être encouragé. Apprenez-lui à jouer doucement avec vous. Lorsqu'il vous mord, dites un non catégorique et arrêtez momentanément l'activité. Évitez absolument les punitions corporelles. Les chiquenaudes sur le museau ou les tapes ne feront qu'augmenter l'agressivité de votre animal, et cette méthode met en péril les liens affectifs que vous avez noués avec lui. Après la réprimande, changez-lui les idées en lui présentant un jouet.

En jouant avec vous, il s'imagine que votre peau est aussi épaisse et insensible que celle d'un autre furet. Il devra apprendre à contrôler ses morsures.

En vieillissant, votre furet s'assagira. Le mordillage disparaîtra progressivement de ses jeux.

Remarques

- Un furet peut mordre pour attirer l'attention, s'il est effrayé ou s'il a mal.
- Un furet a peut-être appris que, en mordant, il pouvait attirer l'attention. Pour ce furet, une attention négative est préférable à l'indifférence. Il aura besoin de temps pour comprendre qu'il compte beaucoup pour vous. Il cessera de mordre lorsqu'il aura saisi qu'il est maintenant dans un foyer stable et qu'il reçoit de l'amour tous les jours.
- Le furet est intelligent et a besoin de stimulations mentales et d'activités physiques. S'il vit dans une cage mal adaptée et sans jouets, il pourrait s'ennuyer et éprouver de la rancœur, ce qui le pousserait à mordre à la première occasion. Aménagez correctement l'espace vital de votre animal et offrez-lui de trois à cinq heures de liberté et d'activités chaque jour.
- Soyez toujours prudent lorsque vous approchez un furet de votre visage. Certains ont tendance à mordre le nez. L'explication est simple : la vision du furet n'est pas très bonne et il ne comprend pas toujours que le nez, qui se trouve juste devant lui, fait partie intégrante de son maître. De son point de vue, il est tout à fait normal de croquer cette chose qui semble si amusante !
- Certains furets deviennent surexcités et mordent lorsqu'ils entendent des sons aigus ou stridents (par exemple le bruit provoqué par le glissement des doigts à la surface d'un ballon de fête). Évitez de produire les bruits qui rendent votre furet agressif.

- Un furet qui a vécu de mauvaises expériences avec les humains peut mordre par crainte d'être de nouveau battu ou blessé. Si vous adoptez un furet de cette sorte, soyez doux et patient avec lui. Ne vous formalisez pas de ses écarts. S'il vous mord, parlez-lui doucement et faites-lui comprendre qu'il a mal agi sans toutefois lui témoigner de l'agressivité. Après plusieurs semaines de travail et de persévérance, le furet, dérouté de recevoir tant d'affection en réponse à ses attaques, modifiera probablement sa vision négative du monde. Son agressivité sera ainsi désamorcée.
- Un furet séparé hâtivement de ses parents peut développer de l'anxiété de séparation. Ce phénomène s'observe parfois chez le furet adulte qui perd un congénère qu'il aimait beaucoup. Cette anxiété se caractérise par de la peur, de la timidité et de l'agressivité. Pour y remédier, adoptez un autre furet ou offrez à votre animal un toutou en peluche dont la forme générale évoque un autre furet. Vous pouvez placer un réveille-matin près de sa cage: le son régulier du mécanisme le réconfortera.
- Un furet qui n'a pas été assez manipulé en bas âge demeure parfois agressif. Idéalement, le jeune furet devrait recevoir de l'attention tous les jours.
- Le furet peut mordre par inadvertance la main imprégnée d'une odeur alléchante. Offrez-lui ses gâteries dans une cuillère et non pas sur le bout de votre doigt.
- Soyez constant avec votre furet. Ne lui permettez pas de vous mordiller en jouant pour ensuite lui interdire de mordre dans d'autres situations. Il ne peut pas comprendre la nuance.
- Il faut manipuler très souvent un furet qui a tendance à mordre. N'hésitez pas à le prendre et ne reculez pas devant lui. Cela ne ferait qu'aggraver la situation.
- Finalement, dans de très rares cas, l'agressivité est associée à des problèmes de personnalité. Vous devrez consacrer beaucoup de temps à l'éducation de ces individus.

Conseil

- Un furet qui persiste à mordre malgré vos avertissements sera certainement découragé par le mauvais goût d'un répulsif (jus de citron, vinaigre, sauce aux piments ou Grannick's Bitter Apple). Aspergez-vous-en les mains ou les chevilles. Vous pouvez même en mettre sur la nuque d'un nouveau furet que vous introduisez dans un groupe. Il ne se fera pas mordre. On peut aussi appliquer ces produits en petite quantité directement dans la bouche d'un furet qui mord et qui ne veut pas lâcher prise.

Le furet voyageur

Les balades en voiture

- Que ce soit pour aller au chalet l'été, pour visiter tante Lorraine à Pâques ou pour se rendre chez le vétérinaire, il est important de veiller à la sécurité de votre furet. Bien que certains apprécient les balades en voiture assis sur vos genoux, on recommande plutôt l'utilisation d'un transporteur pour chat vendu dans le commerce. Le furet s'y sentira en sécurité et ne dérangera pas le conducteur. En cas d'accident, il sera mieux protégé. Fixez le transporteur à l'aide de la ceinture de sécurité. Déposez-y une serviette éponge ou un vieux chandail et le furet sera heureux de s'y blottir. Parions qu'il s'y endormira! Une bouteille distributrice d'eau peut être fixée à la porte grillagée. Par temps chaud, placez dans le transporteur une bouteille d'eau glacée enveloppée dans une chaussette ou dans un morceau de tissu. Le voyage sera encore plus agréable. Pour les déplacements occasionnels et de courte durée, on peut utiliser une boîte en carton, un sac à dos ou un sac de sport.
- Si votre furet est anxieux, n'effectuez pas un long trajet à sa première sortie. Faites plutôt de courtes balades et augmentez lentement la distance parcourue.

- En été, l'automobile peut devenir un piège mortel pour votre furet comme pour tout autre animal. Même si vous avez laissé les fenêtres entrouvertes, la température grimpe rapidement et l'animal peut mourir d'hyperthermie.

Un voyage à l'étranger

Il n'est pas recommandé de faire voyager un furet en avion. Si vous deviez le faire, informez-vous auprès de l'ambassade ou du service des douanes du pays visité de leurs exigences (certificat de santé, quarantaine, vaccination, etc.), et auprès des autorités de votre pays quant aux modalités de retour. Certains États américains interdisent les furets sur leur territoire (Californie, Hawaii). Il en est de même pour certaines villes, par exemple New York. Mais les législations et les lois peuvent changer; renseignez-vous avant votre départ. Prenez connaissance des règlements de votre compagnie aérienne et tentez, si possible, de garder votre animal avec vous. Encore une fois, un transporteur bien équipé est de rigueur. Assurez-vous qu'il est à l'épreuve des évasions, car retrouver votre furet parmi les bagages ne serait pas une mince affaire. L'usage de sédatifs ou de calmants n'est pas recommandé: cela pourrait entraîner des conséquences fâcheuses.

Mon furet en pension

Si votre furet ne peut vous suivre, vous avez deux possibilités. Vous pouvez le laisser à la maison et une personne de confiance lui rendra visite au moins une fois par jour. Remettez à cette personne les coordonnées de votre vétérinaire. Vous pouvez aussi placer votre furet en pension chez un ami, dans une clinique vétérinaire ou une animalerie. Apportez sa nourriture, car les furets sont généralement capricieux et rechignent à manger ce qu'ils ne connaissent pas. Veillez à ce qu'on ne le mette pas dans la même pièce que les chiens: vous diminuerez ainsi les risques de contact avec le virus de la maladie de Carré (*distemper*). Bien entendu, mettez son carnet de vaccination à jour.

Mon furet se balade en laisse

Vous pourrez apprendre à votre furet à se promener en laisse à vos côtés, mais certains individus sont plus récalcitrants que d'autres. Tout d'abord, vous devez l'habituer au harnais, qui est préférable au collier, car il tient mieux en place. Avec son cou large et sa tête étroite, le furet se dégage facilement d'un collier. Ne laissez jamais un furet portant un collier ou un harnais sans supervision dans la maison. Il pourrait se coincer dans des endroits difficiles d'accès, se pendre et s'étouffer. Certains fabricants attachent un grelot à ces accessoires, ce qui permet de localiser facilement le furet fouineur. L'idée est bonne, pourvu que l'animal n'ingère pas le grelot du collier dont il vient de se libérer.

Pour habituer l'animal à son harnais, commencez par le lui mettre quelques minutes par jour. Jouez avec lui quand il le porte. Si vous le distrayez, il oubliera plus facilement qu'il est accoutré de cet objet. N'enfilez pas le harnais à un furet qui vient de se réveiller et qui est plein d'énergie. Attendez plutôt qu'il se soit fatigué en jouant, il sera moins combatif. Quand il aura bien accepté le harnais, vous pourrez y attacher une laisse pour aller vous balader à l'extérieur. Attention lorsqu'il fait chaud : le béton et l'asphalte réverbèrent la chaleur et le furet pourrait brûler le dessous délicat de ses pattes, sans parler des coups de chaleur. Promenez-le plutôt dans le gazon ou lorsqu'il fait plus frais.

Des tours d'adresse

Avec de la patience et des gâteries, vous réussirez sans doute à apprendre divers tours à votre furet :

- Présentez-lui une gâterie pour capter son attention, puis relevez doucement la main. Le furet la suivra du regard. Dites « assis ». Au début, vous devrez aider votre animal à garder l'équilibre, mais il finira par comprendre ce que vous attendez de lui.

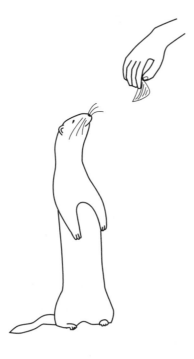

- Vous pouvez aussi enseigner à votre animal à se rouler sur lui-même par un simple geste de la main. Commencez par pointer votre index vers lui tout en effectuant un mouvement circulaire du doigt, puis faites-le immédiatement rouler sur lui-même avec votre autre main et récompensez-le. Avec un peu de pratique, il effectuera la manœuvre de lui-même.
- Appelez toujours votre furet par son nom. Répétez-le souvent et il le reconnaîtra. Récompensez-le chaque fois qu'il vous obéit et qu'il répond à vos appels. Vous pouvez aussi apprendre au furet à venir vers vous au son d'un jouet.

CHAPITRE 7

La reproduction

Aujourd'hui, les furets sont souvent vendus stérilisés. La chirurgie est généralement effectuée à six semaines. Vous n'avez plus à le faire opérer à cinq ou six mois, comme c'était le cas il y a quelques années. Toutefois, aucune étude scientifique n'a prouvé que la castration et l'ablation de l'utérus et des ovaires faites en bas âge sont sans effet sur la santé future de l'animal. Selon certaines hypothèses, cette nouvelle pratique augmenterait les risques de maladies des glandes surrénales.

Étant donné qu'il est de plus en plus difficile de se procurer des furets non stérilisés, vous ne pourrez probablement jamais voir naître chez vous leur progéniture.

Ce chapitre sur la reproduction ne vous servira peut-être pas en pratique, mais il vous donnera quand même plusieurs détails intéressants.

La maturité sexuelle

La maturité sexuelle est grandement influencée par la photopériode (longueur du jour). Soumis à une photopériode naturelle, le furet atteint la maturité sexuelle vers l'âge de huit à dix mois, c'est-à-dire au printemps suivant sa naissance. Ce sont donc les longues journées qui déclenchent le cycle de reproduction. Les premières chaleurs de la femelle peuvent être devancées artificiellement à quatre mois, si l'on expose l'animal à une photopériode constante de douze heures.

La détermination des sexes

Il est aisé de déterminer le sexe d'un adulte : l'ouverture vaginale est rapprochée de l'anus, tandis que le pénis est situé plus haut sur l'abdomen, où un petit os (os pénien) est palpable.

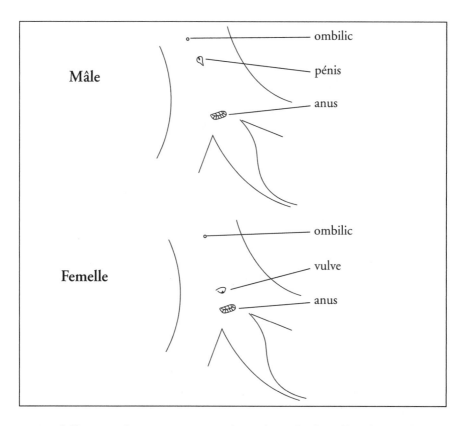

La différence de grosseur entre le mâle et la femelle (dimorphisme sexuel) est une autre façon de déterminer le sexe des furets : le mâle est plus gros que sa congénère. Chez les très jeunes furets, ce dimorphisme n'apparaît qu'à sept semaines quant au poids, qu'à neuf semaines quant à la longueur. Il faut aussi préciser qu'avec la stérilisation en bas âge le dimorphisme sexuel est moins évident. En effet, on remarque que les femelles stérilisées avant d'être sevrées ont tendance à devenir plus grosses que celles non stérilisées. Le phénomène inverse survient chez les mâles qui, eux, restent plus petits. De cette façon, le dimorphisme sexuel s'atténue. En calculant le poids moyen des deux sexes, on peut dire qu'un furet adulte pèse de 600 g à 1,2 kg.

La rencontre

La femelle est polyœstrienne saisonnière à ovulation provoquée par le coït. Autrement dit, elle peut se reproduire seulement pendant une certaine période de l'année et elle reste en chaleur tant qu'elle n'est pas accouplée.

La photopériode est un élément déterminant dans le déclenchement de la réceptivité sexuelle du mâle et de la femelle. Quand les jours s'allongent, les furets deviennent aptes à se reproduire. Le mâle est plus précoce que la femelle : en décembre ou janvier, des changements hormonaux préparent ses testicules à devenir fonctionnels. Le furet restera en chaleur jusqu'en juillet. Pour la femelle, cette période de chaleur s'étend de mars à août. Ces informations sont valides pour les furets vivant dans l'hémisphère Nord.

Le mâle en chaleur

Vivre avec un mâle en période de reproduction n'est pas nécessairement de tout repos. La production accrue de testostérone décuple l'intensité de l'odeur corporelle de l'animal, qui cherche à la disperser en se frottant partout.

En dehors de la saison de reproduction, le furet est gentil, doux et calme. Son pelage est parfait et il est physiquement très beau. Lorsqu'il est en chaleur, il maigrit et sa fourrure jaunie devient grasse et collante. L'hyperfonctionnement de ses glandes sébacées est responsable de ce phénomène. Ses testicules grossissent et descendent dans le scrotum. Il a tendance à marquer son territoire en urinant sur les meubles, sur les vêtements laissés par terre, sur les chaussures, etc. Il est hyperactif et met sa cage sens dessus dessous. Il devient soudainement expert dans l'art de s'évader pour aller retrouver sa compagne.

Remarques

- On ne doit jamais mettre en présence deux mâles en chaleur : ils se bagarreraient.
- Un mâle peut être accouplé à plusieurs femelles.

La femelle en chaleur (œstrus)

La manifestation physique la plus frappante des chaleurs est l'augmentation du volume de la vulve, qui peut atteindre jusqu'à 1 cm de diamètre, parfois un peu plus. Un léger écoulement muqueux est aussi présent. Il ne doit jamais y avoir de sang. La vulve atteint sa grosseur maximale environ un mois après le début des chaleurs. Pendant cette période, l'appétit de la femelle diminue, elle dort moins et est plus irritable.

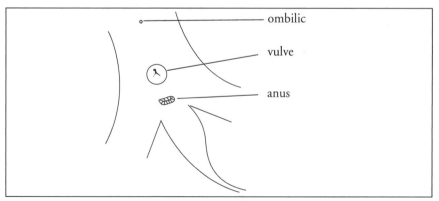

Femelle en chaleur

Il n'est pas conseillé de faire reproduire la femelle avant l'âge de 10 mois. Idéalement, la première gestation devrait avoir lieu à 11 ou 12 mois.

Remarques

- Deux semaines après avoir sevré ses petits, la femelle redevient en chaleur et peut de nouveau s'accoupler. Si les bébés sont sevrés tard dans la saison (c'est-à-dire à la fin de l'été, lorsque la photopériode diminue), la femelle n'aura ses prochaines chaleurs que la saison suivante (mars à août).
- Il arrive qu'une femelle retourne en œstrus deux à trois semaines après la mise bas, alors qu'elle allaite encore. Il est recommandé de la faire s'accoupler, car la concentration d'œstrogènes chez la femelle en chaleur diminue la production lactée, et elle a alors de la difficulté à sevrer ses rejetons.

L'hyperœstrogénie

Une femelle peut rester en chaleur pendant plus de six mois si on ne l'accouple pas. Pendant cette période, une grande concentration d'œstrogènes s'observe dans son organisme. L'exposition prolongée à cette hormone provoque un déséquilibre progressif de la moelle osseuse, voire sa quasi-destruction. Comme la moelle osseuse est responsable de la fabrication des constituants du sang (globules rouges et blancs, plaquettes), son mauvais fonctionnement conduit à l'anémie, à l'immuno-dépression et aux troubles de coagulation du sang. Les problèmes peuvent débuter juste après le début des chaleurs, à quatre ou six semaines, et sont plus ou moins sévères selon l'animal. Cette toxicité des œstrogènes peut causer les symptômes suivants :
- perte de poids ;
- faiblesse ;

- léthargie;
- anorexie;
- pâleur des gencives (anémie);
- perte de poils anormale mais symétrique, pouvant dégarnir certaines zones jusqu'à la peau;
- essoufflement;
- fèces noir foncé;
- infections fréquentes (à cause de l'immunodépression);
- hématomes fréquents.

Le traitement est simple. Il s'agit de stopper la production d'œstrogènes, d'arrêter la chaleur. Pour cela, il faut soit faire ovuler la femelle, soit enlever les ovaires.

Voici les techniques pour mettre fin à la chaleur:
- Accoupler la femelle avec un mâle vasectomisé (efficace).
- Stimuler le vagin mécaniquement avec une sonde spécialement adaptée (cette procédure est imprévisible et ne fonctionne pas souvent). La stimulation mécanique peut provoquer l'ovulation. La technique est délicate et ne doit être faite que par des gens très expérimentés.
- Diminuer la photopériode: des jours de huit heures et des nuits de seize heures (fonctionne chez certaines femelles).
- Injecter des hormones (efficace si la chaleur dure depuis moins de quatre semaines).
- Stériliser: c'est la solution idéale et définitive. Sans ovaires ni utérus, la femelle ne sera plus jamais incommodée par les chaleurs.

Si l'animal est en très mauvais état, des soins spécialisés seront nécessaires: antibiotiques, suppléments de fer et de vitamine B.

Si l'anémie est sévère (moins de 15 % de globules rouges dans le sang), l'animal recevra une transfusion sanguine, mais ses chances de survie seront moindres. Les transfusions chez le furet sont faciles à faire: il n'y a pas véritablement de groupes sanguins chez cette espèce et les risques de mauvaises réactions sont presque nuls. Trouver un donneur n'est cependant pas toujours facile. Lorsqu'une transfusion de sang n'est pas possible, un produit nouvellement utilisé chez le furet s'avère très utile : l'Oxyglobin. Ce médicament permet de transporter l'oxygène aux tissus et peut sauver la vie d'un furet.

Remarques

- Chez la femelle, une tumeur des glandes surrénales entraîne souvent des symptômes similaires à l'hyperœstrogénie, car les cellules tumorales sécrètent une substance assez analogue aux œstrogènes. Le déséquilibre de la moelle osseuse est possible dans ce cas, mais se fait plus lentement (parfois après un ou deux ans). Souvent, la moelle osseuse n'est pas touchée.
- Si vous possédez une femelle stérilisée et qu'elle présente des signes de chaleur (grosse vulve), le problème peut venir d'un fragment d'ovaire oublié lors de la stérilisation ou d'une tumeur de la glande surrénale. Dans les deux cas, la chirurgie est nécessaire.
- L'hyperœstrogénie se rencontrait fréquemment il y a quelques années. Les femelles étant aujourd'hui très souvent stérilisées en bas âge, ce problème est maintenant rare. Les gens désireux d'élever des furets doivent connaître cette condition et faire tout ce qu'ils peuvent pour l'éviter.
- Ne permettez jamais à une femelle destinée à la reproduction d'être en chaleur plus de deux à quatre semaines.

L'accouplement

L'accouplement devrait avoir lieu deux semaines après le début de l'enflure de la vulve. Idéalement, on mène la femelle au mâle. Très soumise, elle se laisse traîner par la peau du cou. L'accouplement, brutal et bruyant, peut durer de 10 minutes à 3 heures (moyenne : 1 heure).

La femelle ovule de 30 à 40 heures après le coït et produit de 1 à 18 ovules. Généralement, trois ou quatre jours après l'accouplement, la vulve s'assèche et se ride. Elle retrouve sa taille initiale en trois ou quatre semaines.

Remarques

- Pour maximiser les chances de conception, il est recommandé de répéter l'accouplement le lendemain.
- Le croisement de certains types de furets (blancs aux yeux noirs, mitts et panda) augmente les risques d'anomalies congénitales.

La gestation

La gestation dure de 41 à 43 jours (habituellement 42 jours) et se déroule sans la présence du mâle. La femelle devient particulièrement irritable vers la fin de sa gestation.

Ce n'est qu'au cours des deux dernières semaines que l'abdomen de la femelle grossit. On peut poser un diagnostic de gestation plus rapidement en utilisant l'échographie (à partir de 12 jours) et la palpation abdominale (à partir de 14 jours). On peut aussi prendre une radiographie à partir du vingt-huitième jour.

L'alimentation de la femelle gestante doit être d'excellente qualité et contenir beaucoup de protéines d'origine animale (40 à 42 %) et de gras (22 à 25 %). Cette alimentation riche en calories est nécessaire afin de prévenir une perte de poids trop importante. La nourriture est offerte à volonté. Les besoins en eau sont accrus pendant cette période. Le bol sera préférable, car la prise d'eau y est plus facile.

Une femelle mal nourrie risque de souffrir de toxémie de gestation. Elle est aussi plus à risque si elle porte plusieurs fœtus (10 et plus). L'utérus rempli de petits devient si distendu qu'il comprime l'estomac. La femelle ne peut plus prendre d'aussi gros repas qu'avant. Elle doit donc manger plus souvent de petites quantités de nourriture. De cette façon, elle risque davantage de sauter un repas. La toxémie de gestation survient lorsque le bilan énergétique est négatif. C'est pourquoi il est primordial, particulièrement en fin de gestation, que la femelle ne manque pas de nourriture. Ce n'est pas le moment de changer son alimentation, pas même pour un meilleur régime : elle risque de manger moins du nouvel aliment ou de le refuser. Chez une femelle à risque, une seule nuit de jeûne peut déclencher une toxémie.

La toxémie survient généralement au cours des 10 derniers jours de la gestation. La femelle devient soudainement léthargique, faible. Ses yeux sont vitreux. Elle est souvent froide, ne se couche plus en boule. Elle produit parfois des selles très noires. La césarienne est le seul traitement. Les décès sont nombreux à ce stade, autant chez les mères que chez les petits.

Remarques

- Une femelle peut facilement élever deux portées par saison si on la garde dans des conditions idéales (excellente alimentation, environnement propre et calme, photopériode adéquate) et si la première saillie a eu lieu au début de la saison.
- Avant, on ne trouvait de jeunes furets qu'en fin d'été et en automne, car, sous l'influence d'une photopériode naturelle, les furets ne se reproduisent qu'une fois par année, au printemps ou au début de l'été. Maintenant, les furets reproducteurs sont soumis à une photopériode artificielle. Il est donc possible de produire des rejetons toute l'année en faisant s'accoupler chaque groupe de furets à un moment différent.
- Plusieurs femelles gestantes peuvent cohabiter. Elles devront cependant être séparées deux à trois semaines avant la date prévue de la mise bas.
- Les glandes mammaires se développent au cours de la dernière semaine de gestation.

La pseudo-gestation

Si une femelle s'est accouplée mais que la conception ou l'implantation n'a pas eu lieu, une pseudo-gestation (fausse gestation) peut se produire. Le mouvement de la copulation a quand même provoqué chez elle une ovulation. Les changements hormonaux ainsi engendrés donnent pendant 40 à 43 jours l'impression qu'une réelle gestation a lieu.

Voici les principales causes de pseudo-gestation :

- L'implantation des embryons n'a pas lieu. Ce phénomène se produit si la photopériode est inadéquate ou si l'intensité lumineuse diminue sous un seuil critique de trois à quatre semaines avant l'accouplement.
- Le mâle est infertile.
- Le mâle est trop jeune (moins de six mois) et inexpérimenté. Il est alors infertile ou incapable de bien pénétrer la femelle.

Une personne expérimentée peut reconnaître une pseudo-gestation par la vitesse à laquelle la vulve de la femelle reprend sa taille initiale : elle désenfle plus lentement dans le cas d'une pseudo-gestation. Même si l'abdomen de la femelle grossit et que ses glandes mammaires et ses tétines se développent, aucun bébé n'est à espérer. Le nid qu'elle confectionnera avec beaucoup de soin restera vide.

De 10 à 14 jours suivant la fin d'une pseudo-gestation, la femelle retombe en chaleur. Sa vulve recommence à enfler et atteint sa taille maximale en une dizaine de jours.

Remarques

- Un mâle vasectomisé est parfois utilisé pour provoquer une pseudo-gestation chez une femelle que l'on veut accoupler un peu plus tard dans la saison. Cette manœuvre la protège des effets néfastes des chaleurs prolongées. Certaines injections d'hormones ont le même effet.

- Si une femelle venant de s'accoupler est mise en contact avec une autre femelle en chaleur, cette dernière fera probablement une pseudo-gestation à cause de la seule odeur du mâle.

La mise bas

Devant l'imminence de la mise bas, la femelle devient plus nerveuse. Elle se réfugie dans son nid (petite boîte) qu'elle a aménagé avec du tissu, des copeaux de bois (comme ceux utilisés pour la litière), du foin ou du papier déchiqueté. Le nid devrait avoir une profondeur minimale de 15 cm. Il garantit l'intimité à la petite famille, garde les bébés au chaud et prévient leur éparpillement dans la cage.

La femelle peut avoir de 1 à 18 petits. La moyenne est de 8 à 10. Si la mère porte trois bébés ou moins, la stimulation qui déclenche la parturition peut ne pas se faire. Dans ce cas, la gestation se prolonge et les bébés continuent de grandir dans l'utérus.

Après 42 jours de gestation, il y a des risques pour la santé de la mère et des rejetons si leur naissance n'est pas provoquée. Une césarienne est nécessaire s'il n'y a pas eu de mise bas huit heures après une injection d'hormones.

La femelle qui ne se sent pas bien, qui a l'air abattue ou qui crie de douleur a besoin d'une assistance vétérinaire immédiate. Les dystocies (mises bas pénibles) sont malheureusement fréquentes chez le furet, comparativement à d'autres espèces.

Une parturition normale se déroule rapidement (deux à trois heures). Parfois la femelle a à peine le temps de couper les cordons ombilicaux. En moyenne, il naît cinq petits à l'heure. Si la mise bas est difficile, la femelle ne s'occupera de ses petits qu'une fois le travail terminé. Les nouveau-nés risquent alors de souffrir d'hypothermie. Il faut les garder au chaud en attendant que la mère puisse s'en occuper. Un bébé qui se refroidit devient apathique, cesse de chercher les tétines et meurt. De son côté, la mère accepte difficilement de s'occuper d'un rejeton froid.

Les bébés cherchent à boire très tôt après leur naissance. La femelle les tient au chaud en se couchant enroulée autour d'eux. Ils sont voraces et resteront accrochés aux tétines durant les trois premières semaines. À la naissance, ils pèsent de 5 à 20 g, en moyenne de 6 à 12 g. Ils sont aveugles, sourds et complètement dépendants de leur mère. Dépourvus de poils, ils ne peuvent maintenir leur température corporelle stable par eux-mêmes. Leur peau est mince et, par transparence, on peut voir les organes internes. Il est alors facile de vérifier s'ils se nourrissent bien en observant le petit estomac — plein de lait, il est blanc — à gauche de l'abdomen, au-dessous des dernières côtes. Quelques heures après la naissance, les bébés devraient être repus et endormis. S'ils sont bruyants et agités, c'est qu'ils ont faim. Un petit dépôt de graisse situé dans la région de la nuque des bébés naissants offre une source d'énergie d'urgence pour les 24 à 48 premières heures.

La nouvelle mère passe le plus clair de son temps à dorloter sa progéniture. Elle ne quitte le nid que pour satisfaire ses besoins naturels et s'alimenter. Les petits pleurnichent quelques secondes lorsqu'elle s'absente, mais ils se rendorment rapidement. Elle aime avoir ses bols de nourriture et d'eau près du nid, pour ne pas avoir à se lever pour s'alimenter. La femelle furet est en général une excellente mère. Il arrive toutefois qu'une nouvelle maman inexpérimentée ne sache trop quoi faire avec ses bébés et les rejette. Dans une situation critique, elle pourrait même les dévorer, mais cela se produit rarement. Assurer l'intimité à la nouvelle famille et éviter le stress sont les meilleurs moyens de prévention.

La période d'allaitement est épuisante, surtout si la portée est nombreuse. Certaines femelles ont des infections aux glandes mammaires (mastites et mammites) qui nécessitent des soins urgents. Les glandes deviennent dures et très enflées. Elles sont douloureuses et très chaudes. Leur couleur passe du rosé au rouge bleuté. Il arrive que la femelle subisse une chute dramatique du taux de calcium sanguin (à cause de sa forte production de lait). Elle est alors très fatiguée ou prise de convulsions. Le vétérinaire doit voir ces animaux rapidement afin d'augmenter leurs chances de survie.

Avec une bonne alimentation, un environnement tempéré (21 °C) et calme, la femelle court peu de risques de complications.

La croissance des petits furets est rapide. Ils gagnent en moyenne de 2,5 à 3 g par jour au cours de leur première semaine. À cinq jours, leur poids a doublé. Ils grossissent ensuite de quatre grammes par jour pendant la deuxième semaine et de six grammes par jour pendant la troisième. Un bébé de 10 jours pèse environ 30 g. À trois semaines, il pèse dix fois le poids qu'il avait à la naissance. La différence de poids entre la femelle et le mâle apparaît progressivement.

Poids moyen du jeune furet	
Âge (semaines)	Poids moyen (grammes)
3	90 à 100 (3 à 3¼ oz)
4	100 à 150 (3¼ à 5 oz)
5	150 à 250 (5 à 8 oz)
6	250 à 400 (8 à 13 oz)
7	400 à 600 (13 oz à 1⅓ lb)
8 à 10	600 à 800 (1⅓ à 1⅔ lb)
52	Femelle : 600 à 750 (1⅓ à 1½ lb)
	Mâle : 800 à 1500 (1⅔ à 4 lb)

Le furet atteint son poids adulte vers l'âge de quatre mois. Le mâle peut être deux fois plus gros que la femelle.

Le développement des jeunes furets se fait graduellement :
- À 3 jours : un fin duvet apparaît chez les furets de couleur, tandis que les albinos sont encore nus.
- À 21 jours : les couleurs apparaissent peu à peu. Le furet commence à manger de la nourriture solide qu'il trouve lui-même en s'aventurant hors du nid, ou il grignote ce que sa mère lui donne. Il con-

somme deux à trois petits repas par jour. Bien qu'il aime explorer son environnement, il le fait à l'aveuglette, car ses yeux ne sont pas encore ouverts.

- Entre 28 et 34 jours : les petits sortent plus souvent du nid. Ils sont plus actifs et s'initient aux jeux collectifs. Cette période coïncide avec l'ouverture des paupières et des oreilles. Leur fourrure est de plus en plus fournie.
- Entre 34 et 42 jours : ils urinent et défèquent sans la stimulation de la mère. Ils sont de plus en plus autonomes. À 42 jours, ils sont stérilisés, déglandés et vaccinés.
- Entre 42 et 56 jours : les furets sont sevrés.

Les petites misères des bébés furets

L'ophtalmie néonatale

Ce terme désigne simplement une infection sous les paupières encore fusionnées des petits. Cette affection touche le bébé de quelques jours jusqu'à trois semaines environ. Les paupières se gonflent, car du pus s'accumule entre elles et le globe oculaire. La cause de l'infection n'est pas bien comprise. Certains auteurs croient que la mère peut perforer accidentellement avec ses dents la paupière de son petit en voulant le changer de place. Les bactéries de la bouche de la mère seraient responsables de l'infection. Les petits doivent être soignés rapidement, car ils cessent souvent de s'alimenter, probablement à cause de la douleur. Le vétérinaire ouvre doucement la paupière et enlève le pus. Un antibiotique est nécessaire. Si rien n'est fait, cela peut causer des dommages irréversibles au globe oculaire, et parfois même la mort.

Les défauts congénitaux et génétiques

Certains nouveau-nés sont chétifs par rapport à leurs frères et sœurs ; d'autres naissent sans queue ou avec une queue plus courte que la normale. Les problèmes suivants sont parfois observés : dents surnuméraires, fente palatine, dentition mal alignée, malformations cardiaques. Il existe aussi une maladie des os : ceux-ci ne se forment pas correctement et le furet n'arrivera jamais à se tenir debout. Les petits atteints de défauts graves sont souvent éliminés et ne se rendent jamais jusque dans les animaleries.

Le sevrage

Dès l'âge de six semaines, le jeune furet peut être séparé de sa mère. Il apprécie la nourriture amollie dans l'eau tiède, bien qu'il soit parfaitement capable de manger de la nourriture sèche.

Le sevrage se fait plus facilement en groupe. Les jeunes furets vivent et dorment ensemble, se tiennent au chaud. Ils seront moins enclins à vivre l'anxiété de la séparation. Un furet sevré seul a tendance à être frileux et à vocaliser beaucoup. Il a aussi de la difficulté à s'endormir. Il aimera avoir dans sa cage une bouillotte et un animal en peluche en forme de furet, ou entendre les tic-tac d'un réveille-matin.

La socialisation de l'animal s'effectue entre 6 et 12 semaines. Pendant cette période, il est primordial de manipuler le furet tous les jours et de le placer dans diverses situations.

L'âge idéal pour adopter un jeune furet est de 8 à 16 semaines.

Les orphelins

Il est presque impossible de sauver un furet orphelin de moins de deux semaines. À la naissance, le bébé est très immature par rapport au chiot ou au chaton du même âge. Si ceux-ci peuvent se nourrir avec des préparations de lait de remplacement, le furet, lui, le peut très difficilement : il ne digère bien que le lait de sa mère pendant les deux premières semaines et il est incapable de maintenir sa chaleur corporelle par lui-même. La solution idéale est de trouver une mère adoptive à l'orphelin. Normalement, elle l'accepte bien.

En l'absence d'une mère adoptive, un humain devra prendre la relève. Les chances de survie seront meilleures si les orphelins sont pris en charge à partir de 14 jours et s'ils sont en bonne santé. Les petits affaiblis ou qui n'ont pas mangé depuis plus de 6 heures auront besoin de soins spécialisés (sérum et gavages) afin d'élever rapidement la glycémie. Le lait de la femelle furet est très riche en gras. Il est possible d'obtenir un équivalent en mélangeant trois parties de lait pour animaux KMR vendu dans les cliniques vétérinaires (ou tout autre lait de remplacement recommandé par votre vétérinaire) pour une partie de crème à 35 %. Le lait de vache ou le lait maternisé pour enfants ne sont pas adéquats.

Si vous devez vous occuper d'un furet naissant, gardez-le bien au chaud et nourrissez-le fréquemment (toutes les heures ou les deux heures, 24 heures sur 24) pendant les deux premières semaines.

Le petit doit recevoir son premier repas au cours des deux ou trois heures suivant sa naissance. Il consomme à ce moment environ 0,3 ml par repas. Après quelques jours, il boit jusqu'à 1 ml par repas. On doit activer les fonctions naturelles en stimulant les régions anale et génito-urinaire avec un petit linge humide.

Guide des tétées	
2 premières semaines	Nourrir toutes les heures ou les deux heures, 24 heures sur 24
3e semaine	Nourrir de 3 à 6 fois par jour, selon la quantité de nourriture solide consommée
4e et 5e semaines	Nourrir de 2 à 3 fois par jour en sevrant graduellement le petit

Le furet qui perd sa mère à la naissance risque fort de mourir, mais celui qui devient orphelin entre 12 et 15 jours a de meilleures chances de survie. Il tolère beaucoup mieux le lait qu'on lui offre et peut commencer à manger de la nourriture sèche détrempée ou de la nourriture en conserve.

La plupart des décès d'orphelins sont causés par l'hypothermie, la déshydratation, les pneumonies par aspiration (le lait passe accidentellement dans les poumons) ou par stase digestive (difficulté à digérer le lait de remplacement).

Les données physiologiques de la reproduction

- Gestation : 41 à 43 jours.
- Nombre de petits par portée : 1 à 18 (8 à 10 en moyenne).
- Poids à la naissance : 6 à 12 grammes.
- Yeux et oreilles : ouvrent entre 21 et 37 jours.
- Sevrage : 6 à 8 semaines.
- Maturité sexuelle : 6 à 12 mois (8 à 10 mois en moyenne).
- Chaleur de la femelle : continue jusqu'à l'accouplement.
- Ovulation : provoquée par la stimulation du vagin lors du coït (survient de 30 à 40 heures après l'accouplement).

CHAPITRE 8

Les intoxications, la vaccination, les maladies et la convalescence

Les intoxications

Très curieux de nature, le furet se retrouve à l'occasion dans des situations périlleuses. Le risque d'intoxication est réel chez cet animal fouineur dont les petites dents pointues peuvent venir à bout de bien des contenants qu'on croyait sûrs. Certains furets sont capables d'ouvrir des fioles de pilules! En cas d'intoxication, soyez prêt à réagir rapidement, les minutes comptent, mais les mesures à prendre diffèrent selon le produit ingéré (chocolat, produit acide ou caustique, un dérivé du pétrole, etc.). D'abord, rendez-vous d'urgence chez votre vétérinaire. Si vous n'y parvenez pas dans les minutes qui suivent l'accident, il vaut mieux donner les premiers soins à votre furet avant de partir. Ces quelques informations vous aideront à réagir efficacement, mais souvenez-vous que la prévention est de loin la solution idéale.

Le centre antipoison

Ayez à portée de main le numéro de téléphone d'un centre antipoison (au Québec: 1-800-463-5060). Ces centres sont destinés aux êtres humains et votre interlocuteur ne voudra peut-être pas vous aider si vous appelez pour un animal. Il existe cependant aux États-Unis un centre antipoison pour animaux : le National Animal Poison Control Center (chapeauté par l'American society for the prevention of cruelty to animals). Ce centre fonctionne sans aucune interruption, à longueur d'année. Vous pouvez prendre contact par Internet (www.napcc.aspca.org) ou par téléphone :

- 1-800-548-2423 (30 $US par appel) ;
- 1-900-680-0000 (20 $US pour 5 minutes et 2,95 $US pour chaque minute additionnelle).

Il est important que vous obteniez l'avis de professionnels avant de tenter quoi que ce soit avec votre animal, au risque d'aggraver sa condition. Pour certains produits toxiques, il est avantageux de faire vomir l'animal (utilisez du peroxyde d'hydrogène à 3 % ou du sirop d'ipéca) ; pour d'autres, cette pratique est contre-indiquée. Par exemple, ne jamais faire vomir si le produit ingurgité est une forte base, un fort acide ou un dérivé du pétrole. En refluant dans l'œsophage, ces produits provoquent une seconde brûlure chimique et empirent le problème. Ne faites vomir votre furet que sur les recommandations de votre vétérinaire ou d'un professionnel du centre antipoison. Ces gens connaissent les produits toxiques et savent s'il faut faire vomir ou non, faire boire du lait ou donner du charbon activé. Rendez-vous chez le vétérinaire au moindre doute d'empoisonnement. Une intervention rapide fait souvent la différence entre la vie et la mort.

Bien que la plupart des empoisonnements soient reliés à la grande curiosité du furet et à son envie de goûter ce qu'il trouve, certaines intoxications résultent de l'ignorance des gens. Il arrive que des personnes essaient de traiter elles-mêmes leurs animaux malades avec des médicaments destinés aux humains. Cette méthode est dangereuse : ce qui est efficace pour un humain peut être mortel pour le furet. Voici deux exemples de produits dangereux :

- Ibuprofène (Advil). Utilisé pour contrôler la douleur et la fièvre chez les humains. Chez le furet, il est responsable de troubles neurologiques (dépression, tremblements, faiblesse, perte d'équilibre, coma) et gastro-intestinaux (anorexie, vomissements, diarrhée, selles noires contenant du sang digéré provenant d'ulcères gastro-intestinaux). Ces signes apparaissent de 2 à 6 heures après l'ingestion. Les reins sont aussi affectés (altération du flot sanguin se rendant à ces organes), surtout si la quantité ingérée est importante : le furet boit et urine davantage, il se déshydrate. Une défaillance rénale peut compliquer la situation. Elle se manifeste généralement de 12 heures à 5 jours après l'ingestion. À ce stade, les chances de survie sont faibles. Le décès survient généralement lorsque plus de 220 mg/kg sont ingérés. Cette dose est facilement atteinte, puisqu'un seul comprimé contient 200 mg d'ibuprofène. Des soins vétérinaires prompts augmentent de beaucoup les chances de survie.
- Acétaminophène (Tylenol). Comme chez le chat, il semble causer de graves problèmes de santé au furet. La toxicité n'est pas prouvée avec certitude, mais de nombreuses études rapportent des cas de furets devenus malades ou qui sont morts à la suite de l'ingestion de ce produit. L'acétaminophène provoque le décès par manque d'oxygénation du sang. Une atteinte du foie est également possible.

Quoi faire avec un furet qui a ingéré de l'ibuprofène ou de l'acétaminophène

- Au cours de l'heure qui suit l'ingestion, vous pouvez faire vomir le furet. Idéalement, la procédure se fait en clinique vétérinaire. Cependant, si vous ne pouvez vous rendre à temps chez votre vétérinaire, utilisez du peroxyde d'hydrogène à 3 %. Rappelez-vous qu'il ne faut jamais provoquer le vomissement chez un animal inconscient. Appelez votre vétérinaire afin qu'il vous communique la dose requise de peroxyde d'hydrogène, qui dépendra du poids de l'animal (généralement de 1½ à 2 ml pour un furet de taille moyenne). Le sirop d'ipéca (½ à 1 ml) peut aussi servir à cette fin. Ne pas utiliser les deux produits ensemble. Le vomissement survient au cours des 15 minutes suivantes. Il peut arriver que l'animal ne vomisse pas. Dans ce cas, vous pouvez lui donner une seconde dose de peroxyde d'hydrogène, mais pas davantage !

- Si l'ingestion a eu lieu depuis plus d'une heure, inutile de provoquer le vomissement. Administrez plutôt du charbon activé au furet et rendez-vous chez le vétérinaire.

En résumé, gardez hors de la portée des enfants et des animaux tous les médicaments et les produits potentiellement toxiques. N'hésitez pas à mettre ces substances sous clé.

Les vaccinations

La vaccination annuelle de votre furet permet de stimuler son système immunitaire. Ainsi, il pourra se défendre contre les agents infectieux, par exemple la maladie de Carré ou la rage. La procédure consiste à inoculer à l'animal un liquide contenant des virus tués (rage) ou des virus affaiblis (maladie de Carré). Certains vaccins n'utilisent que des parties de virus (maladie de Carré). Le tout se fait rapidement et sans douleur, excepté le petit pincement de l'aiguille. Un furet affairé à lécher une gâterie ne se rendra pas compte qu'on est en train de le vacciner.

Une fois dans l'organisme du furet, le vaccin rencontre les cellules de défense qui se mobilisent pour combattre l'intrus (les particules virales contenues dans le vaccin). Ce phénomène se solde par une augmentation du nombre d'anticorps.

Lorsque les anticorps sont assez nombreux, ils peuvent prévenir le développement de la maladie en tuant les virus infectieux avant qu'ils se multiplient. Avec le temps, cependant, la quantité d'anticorps diminue, d'où l'importance des piqûres de rappel.

Un vaccin confère à l'individu une immunité contre la maladie correspondante. Par exemple, le vaccin de la maladie de Carré protège le furet contre cette affection seulement.

Seul un animal en bonne santé peut recevoir un vaccin. Il est contreindiqué de vacciner une femelle gestante.

Remarques

- Il est tout à fait normal qu'un furet ressente une petite démangeaison à l'endroit de l'inoculation d'un vaccin. Ce léger inconfort ne dure que quelques minutes. Parfois, la douleur persiste quelques jours et il peut y avoir une enflure. Le tout rentre dans l'ordre après quelques semaines.
- Pendant 24 à 48 heures après la vaccination, certains furets sont un peu léthargiques et fiévreux. Votre animal doit tout de même s'alimenter et demeurer alerte. La plupart ne sont pas incommodés.

L'anaphylaxie

L'anaphylaxie est une réaction allergique violente pouvant causer la mort si elle n'est pas rapidement et adéquatement contrôlée par des médicaments.

Ce phénomène, heureusement très rare – 3 sur 1 million pour le vaccin de la rage Imrab-3 et 3 sur 1085 pour le vaccin de la maladie de Carré Pure Vax –, s'observe chez les furets hypersensibles aux vaccins. Il touche surtout les jeunes, mais parfois des sujets plus âgés.

La réaction allergique postvaccinale se produit généralement quelques minutes après l'injection. Par précaution, demeurez à la clinique au moins 20 à 30 minutes avec votre animal après la vaccination. Si un problème survenait, on le soignerait rapidement.

En cas de réaction allergique, le furet devient soudainement très calme, apathique et mou. Il a des nausées et vomit. Il défèque des selles molles ou diarrhéiques, parfois teintées de sang frais. Incommodé par des crampes, il se plaint quand on lui touche le ventre. Ses gencives et son museau deviennent pâles. À ce stade, il doit recevoir des soins immédiatement, sans quoi, après un choc vasculaire, le coma et la mort suivront.

On utilise principalement l'épinéphrine pour contrecarrer cette réaction et on fournit au furet oxygène et chaleur. Une perfusion sanguine est parfois nécessaire.

Si un furet réagit mal à une vaccination, il faut s'attendre à une réaction encore plus violente lors d'une deuxième exposition à ce vaccin. Si cela doit tout de même se faire, votre vétérinaire administrera un antihistaminique (par exemple, diphénydramine [Benadril]) une quinzaine de minutes avant de procéder à la vaccination et il gardera son petit patient sous observation pendant un certain temps. Il est toujours risqué d'utiliser une deuxième fois un vaccin qui a provoqué des effets indésirables chez votre furet.

D'autres solutions peuvent être envisagées : ne plus faire vacciner votre furet ou utiliser un vaccin différent. Discutez-en avec votre vétérinaire.

Remarque

- Il est recommandé de ne pas administrer deux vaccins (rage et maladie de Carré) le même jour, car s'il survenait une réaction anaphylactique, le vaccin responsable serait facilement identifié.

Les virus

La maladie de Carré ou *distemper*

Le furet est extrêmement sensible au virus (paramyxovirus) de la maladie de Carré. Le taux de mortalité chez les individus infectés est de 100 %. Les réservoirs d'infection sont principalement les canidés (chiens, loups, coyotes, etc.). Le virus de la maladie de Carré se trouve dans les sécrétions nasales, la salive, l'urine et les fèces des animaux malades. Sa transmission se fait par voie aérienne (particules virales en suspension dans l'air) ou par contact avec des objets contaminés. La vaccination demeure la seule façon de protéger votre furet. Aucun autre traitement n'est efficace.

Soyez prudent si vous avez manipulé des animaux contagieux, car le virus demeure actif plus de huit heures sur vos vêtements. Après une période d'incubation de sept à neuf jours, le furet infecté présente des symptômes très caractéristiques :

- anorexie ;
- léthargie ;
- fièvre (40 °C et plus) ;
- écoulements nasal et oculaire séreux (transparents) qui deviendront purulents ;
- éruptions autour des yeux, du nez, des lèvres, sous le menton et à l'intérieur des cuisses. À ces endroits, la peau prend une apparence croûtée ;
- épaississement des coussinets plantaires ;
- diarrhée parfois sanglante ;
- éternuements, toux.

Après cette première phase, s'il n'est pas déjà mort, le furet sera affecté par la forme nerveuse de la maladie, dont les symptômes sont les suivants :

- hyperexcitabilité ;
- hypersécrétion de salive ;
- tremblements ;
- incoordination ;
- convulsions ;
- coma.

Le décès survient deux à quatre semaines après le début des signes cliniques, et parfois plus rapidement.

Remarques

- Au début, les symptômes de la maladie de Carré peuvent ressembler à ceux de la grippe (influenza) : éternuements, toux et écoulements nasal et oculaire. L'apparition des autres symptômes de la maladie de Carré permet de différencier les deux maladies.
- L'euthanasie est recommandée pour tout furet atteint de la maladie de Carré. Cette procédure met fin aux souffrances de l'animal et aide à limiter la contagion.
- Un furet ne devrait jamais être gardé en pension dans la même pièce que les chiens, car cela augmente le risque de contact avec le virus.

La rage

C'est un virus (rhabdovirus) qui cause la rage. Il provoque une encéphalomyélite (inflammation du cerveau et de la moelle épinière) qui est fatale à près de 100 %. Tous les animaux à sang chaud (y compris l'homme) sont sensibles à ce virus qui se transmet par la morsure d'un animal enragé ou par le contact d'une plaie ou d'une muqueuse avec de la salive infectée. Des particules virales en suspension dans l'air humide des cavernes où vivent des chauves-souris enragées peuvent aussi transmettre la maladie aux humains et aux animaux.

En Amérique du Nord, les principaux réservoirs d'infection sont la chauve-souris, la mouffette, le renard et le raton laveur. Méfiez-vous de tout animal sauvage qui vous semble trop amical. Ne les manipulez jamais à mains nues. La rage peut prendre deux formes : « silencieuse » (l'animal ou l'humain infecté subira une paralysie progressive menant au décès) ; ou « furieuse », plus spectaculaire (l'animal ou l'humain malade devient très agité et agressif). Les symptômes de la rage sont :

- l'abattement ;
- une paralysie partielle ;
- une hypersécrétion de salive ;
- l'agressivité.

Les symptômes sont très similaires chez l'humain. Seule différence : une phobie de l'eau est remarquée chez plusieurs patients. L'Organisation mondiale de la santé estime que la rage fait plus de 40 000 victimes par année. Raison de plus pour prendre toutes les précautions nécessaires. Si vous vous faites mordre par un animal inconnu, informez-en votre médecin sur-le-champ. Devant le moindre danger de contamination, il prescrira des injections d'anticorps pour vous protéger. Quand ces injections sont faites rapidement, la maladie ne se développe pas. Quant à l'animal qui a mordu, il sera mis en quarantaine ou abattu pour être analysé. Méfiez-vous spécialement des chauves-souris. Leurs morsures sont parfois indolores et l'on peut se faire contaminer sans s'en rendre compte.

Aucun test ne permet de dépister cette maladie du vivant de l'animal. La vaccination demeure la seule protection.

Le vaccin contre la maladie de carré

La femelle immunisée (idéalement un mois avant la saison de reproduction) est protégée contre cette maladie et passe dans son lait des anticorps à ses petits.

Cette protection passive est très utile aux rejetons dont le système immunitaire n'est pas encore totalement efficace. Vers l'âge de six à huit semaines, cette protection s'estompe. Il est alors temps de vacciner le jeune furet.

Lors de sa première année de vie, le furet doit recevoir trois vaccins contre la maladie de Carré. Cette méthode assure une production adéquate d'anticorps.

Voici le calendrier de vaccination du jeune furet :
• 6 à 8 semaines : premier vaccin ;
• 10 à 12 semaines : rappel ;
• 14 à 16 semaines : rappel ;
• Rappels annuels par la suite.

Remarques

- Les jeunes furets qui n'ont reçu que deux vaccinations pour la maladie de Carré (plutôt que trois) ne sont pas adéquatement protégés. Il y a de gros risques qu'ils développent la maladie en présence du virus.
- Le vaccin Fervac-D fut longtemps le seul vaccin efficace contre la maladie de Carré et homologué pour le furet en Amérique du Nord. L'expérience a démontré que les réactions postvaccinales (anaphylaxie) survenaient fréquemment. Il n'y a pas de statistiques précises disponibles quant à la prévalence de ces cas, mais le problème était assez sérieux pour susciter le développement d'un nouveau vaccin avec beaucoup moins d'effets secondaires indésirables. Dernièrement, un nouveau vaccin homologué pour le furet (Pure Vax) a fait son apparition. Il a l'avantage d'offrir une protection efficace contre la maladie tout en diminuant de beaucoup les risques de réactions allergiques (en moyenne 3 pour 1085 furets vaccinés).
- Un furet ne devrait jamais être vacciné avec un vaccin destiné aux chiens : si celui-ci immunise en partie contre la maladie de Carré, il contient aussi d'autres virus (parvo, hépatite, leptospirose, coronavirus, etc.) qui n'affectent pas les furets. De plus, le type de virus de la maladie de Carré présent dans ce vaccin peut transmettre la maladie au furet.
- Dans certains pays, le vaccin pour furet contre la maladie de Carré n'est pas disponible. Les vétérinaires sont obligés d'utiliser un vaccin destiné aux chiens. Cependant, un vétérinaire expérimenté sait comment fractionner la dose pour obtenir le maximum d'efficacité tout en réduisant les risques de complications. Mais tout vétérinaire a le devoir de bien informer ses clients à propos des dangers d'une telle pratique. Bien souvent, il vaut mieux immuniser le furet avec un vaccin non homologué que ne pas l'immuniser du tout.

- Étant donné que le furet n'est pas sensible aux maladies infectieuses des chats, il est tout à fait inutile de le vacciner avec un vaccin pour chats.
- Si vous achetez un furet adulte et que vous ignorez s'il a été vacciné, voici la marche à suivre :
  – Premier vaccin : à l'achat ;
  – Rappel : un mois plus tard ;
  – Rappel annuel par la suite.

Des cas de cancer (fibrosarcomes cutanés) ont été rapportés chez certains furets au site de la vaccination. Jusqu'à maintenant, ce type de réaction postvaccinale avait été décrit seulement chez le chat. Ces quelques cas chez le furet permettent de croire qu'eux aussi sont sensibles à ce type de cancer associé à la vaccination. Pour l'instant, la faible fréquence du phénomène ne justifie pas l'arrêt de la vaccination, car les avantages dépassent largement les inconvénients.

Le vaccin contre la rage

Même si votre furet ne va pas dehors, faites-le vacciner contre la rage. Cette protection vous évitera des ennuis si :
- votre furet mordait quelqu'un ;
- votre furet se sauvait quelques heures à l'extérieur et rencontrait des animaux ;
- vous voyagiez avec votre furet (la vaccination contre la rage est souvent exigée par le pays hôte).

Votre furet doit recevoir le vaccin Imrab-3. Ce vaccin composé de virus tués est le seul reconnu pour le furet. On le donne à partir de trois mois, avec un rappel annuel ou tous les trois ans. Informez-vous auprès de votre vétérinaire.

Remarque

- Chaque pays a ses propres réglementations et la disponibilité des vaccins n'est pas la même partout. Il se peut qu'aucun vaccin contre la rage ne soit homologué pour le furet dans votre région. Si tel est le cas, fiez-vous à l'expertise de votre vétérinaire : il connaît le meilleur vaccin de remplacement. Mais une règle absolue s'applique : **ne jamais vacciner votre animal avec un vaccin contenant des virus vivants.**

Les laboratoires pharmaceutiques élaborent constamment de nouveaux produits. Leur utilisation doit être autorisée par le ministère de la Santé du pays où a lieu la vaccination. Votre vétérinaire pourra vous renseigner sur les progrès de la recherche.

Les vaccins utilisés chez le furet et disponibles en Amérique

- Fervac-D (United Vaccines) : contient des virus entiers vivants de la maladie de Carré, mais ils ont été modifiés et ne peuvent plus rendre le furet malade. Ils stimulent seulement la production d'anticorps. Ce vaccin est homologué pour le furet. Anaphylaxie postvaccinale moyennement fréquente.
- Pure Vax (Merial) : ne contient que les particules du virus de la maladie de Carré nécessaires à stimuler l'immunité. Ces particules sont combinées au virus de la variole du canari. Cette nouvelle technologie a fait ses preuves chez les chiens et les chats et semble être la solution de l'avenir. Le virus de la variole du canari est inoffensif pour le furet. L'utilisation du Pure Vax a permis de diminuer de beaucoup la fréquence des réactions anaphylactiques postvaccinales (3 sur 1085). Ce vaccin est homologué pour le furet et représente, pour l'instant, la meilleure solution en ce qui a trait à l'immunisation contre la maladie de Carré.

- Galaxy D (Schering-Plough) : contient des virus vivants modifiés de la maladie de Carré. Ce vaccin n'est pas homologué pour le furet, mais il était couramment employé quand aucun autre vaccin n'était disponible. On l'utilise encore parfois lorsqu'un furet est allergique aux autres vaccins. La fréquence des réactions anaphylactiques n'est pas connue. Elles sont tout de même possibles, comme avec tout produit injectable.
- Imrab-3 (Rhone Merieux) : vaccin contenant le virus de la rage (virus tué). La protection contre la maladie est efficace 30 jours après la première inoculation et immédiate après les rappels. Ce vaccin est homologué pour le furet. Réactions post vaccinales très rares (3 sur 1 million).

La médecine des animaux exotiques ou, selon certains auteurs, des nouveaux animaux de compagnie, est un domaine très spécialisé. Les connaissances qui se rapportent aux chiens et aux chats ne peuvent pas toutes s'appliquer aux furets. On ne doit pas traiter un furet comme un petit chat. Étant donné que votre animal doit recevoir des soins de qualité, choisissez votre vétérinaire en fonction de son champ d'intérêt et de sa spécialisation.

Le jeune furet est rarement malade. Un examen annuel suffit jusqu'à l'âge de quatre ou cinq ans. Le vétérinaire en profite pour le vacciner. Cependant, après cinq ans, il aura besoin de plus d'attention. Les cancers sont fréquents à cet âge et leur dépistage précoce demeure la meilleure façon d'aider votre animal. Un examen semestriel est conseillé.

Chez l'animal vieillissant, un bilan sanguin complet annuel est conseillé. Le dosage de glycémie (taux de sucre sanguin) devrait être fait deux fois par année. Ces analyses permettent le dépistage des maladies avant l'apparition des premiers symptômes.

Il est aussi fortement recommandé d'effectuer un dépistage sanguin de la maladie aléoutienne chez tout nouveau furet ou chez ceux qui ont des contacts avec des furets inconnus (par exemple lors des concours, expositions, etc.).

Les symptômes évoquant un problème de santé

- Posture anormale : le furet souffrant se tient le dos rond, la tête basse et les yeux mi-clos. Il est léthargique.
- Mauvais aspect du pelage : les poils sont ternes, cassants, ou ils tombent anormalement.
- Perte de poids : il est normal que le furet perde du poids au printemps, mais en aucun temps il ne doit devenir maigre. Si l'ossature se voit à travers la peau, il y a un problème.
- Faiblesse : la démarche est hésitante, il peut trébucher.
- Respiration anormale : il respire rapidement et de façon superficielle, ou bien difficilement et profondément. Ses flancs se creusent à chaque inspiration.
- Irritabilité : le furet malade est plus enclin à mordre.

L'euthanasie

En médecine vétérinaire, nous avons le privilège de pouvoir mettre un terme aux souffrances d'un animal. Utilisée à bon escient, l'euthanasie est une pratique noble et motivée par l'amour et le respect qu'on éprouve pour l'animal. Banaliser l'état d'un furet malade en insinuant que ce genre d'animal ne peut pas souffrir réellement est une grave erreur de jugement. Toute créature, quelle qu'elle soit, ressent la douleur et l'inconfort, même si elle ne l'exprime pas de façon évidente.

L'euthanasie se pratique par l'injection d'un médicament (barbiturique) qui endort l'animal, puis la respiration et le cœur s'arrêtent. La procédure est sans douleur et ne stresse pas l'animal. Discutez de cette solution avec votre vétérinaire si votre furet est atteint d'une maladie incurable et qu'on ne peut plus soulager ses souffrances.

Les maladies

L'influenza (grippe)

Si vous êtes grippé, il est probable que votre furet le sera aussi, car il est sensible aux mêmes virus influenza (types A et B) que les humains. Ils abondent dans les sécrétions des individus et des furets malades. La toux et les éternuements les dispersent dans l'air et la maladie se transmet par l'inhalation des particules virales infectieuses.

La contagion se fait mieux de l'humain au furet que dans le sens inverse. Le contact avec des objets contaminés et la promiscuité des individus contagieux en sont responsables. L'incubation de la maladie chez le furet dure environ 48 heures.

Les premiers symptômes du rhume sont la fièvre, l'abattement, l'irritation de la gorge et un appétit capricieux, puis, plus tard, la congestion nasale et des écoulements oculaires séreux. Le furet éternue fréquemment et dort beaucoup. Comme il n'existe aucun médicament contre les virus, la maladie doit suivre son cours. Les symptômes disparaissent normalement après cinq à sept jours. Vous pouvez quand même aider votre furet à passer ce mauvais moment en lui prodiguant de petits soins :

- Offrez-lui une nourriture appétissante. Si la douleur à la gorge l'empêche de manger sa nourriture sèche, détrempez-la avec de l'eau tiède. La nourriture en conserve reste une bonne solution. Mélangez un supplément alimentaire à la nourriture de base pour la rendre encore plus attrayante.
- Encouragez-le à boire beaucoup.
- Gardez-le au chaud.
- Augmentez l'humidité de la pièce où il est installé. Si vous ne possédez pas d'humidificateur, placez sa cage dans la salle de bains et créez tout simplement l'humidité nécessaire en laissant couler l'eau chaude de la douche quelques minutes. Dans un environnement assez humide, les sécrétions se liquéfient et le système respiratoire se décongestionne plus aisément.

- Appliquez une petite quantité de gelée de pétrole (Vaseline) sur son museau gercé.
- Si des quintes de toux l'incommodent, discutez avec votre vétérinaire de la possibilité de lui offrir un sirop antitussif. Les sirops sans alcool pour enfants font généralement l'affaire. Demandez à votre vétérinaire qu'il vous indique la dose appropriée.

En général, le furet sera incommodé par des symptômes légers durant cinq jours environ. Si le rhume persiste plus d'une semaine ou si la condition générale de l'animal se détériore, consultez votre vétérinaire. Des complications surviennent généralement chez les jeunes furets (six mois et moins) et chez ceux qui sont déjà affaiblis par une autre maladie. Les pneumonies bactériennes secondaires sont toujours préoccupantes et nécessitent un traitement aux antibiotiques. Les furets âgés de quelques jours peuvent mourir de cette affection.

Conseils

- Isolez rapidement un furet qui présente des symptômes du rhume. La contagion est rapide chez les furets.
- Ne jetez pas vos mouchoirs en papier contaminés dans une corbeille ni dans une poubelle que votre furet pourrait visiter.
- Passez au lave-vaisselle le bol de nourriture et la bouteille d'eau du furet malade pour les désinfecter.
- Évitez les contacts étroits avec votre furet lorsque vous avez le rhume.
- Ne tentez pas d'enrayer la fièvre d'un furet enrhumé en lui administrant un antihistaminique : la température élevée du corps est un mécanisme de défense naturel. Si vous éliminez la fièvre, les virus se reproduisent mieux et restent plus longtemps dans les sécrétions nasales.
- Si les sécrétions nasales et oculaires de votre furet deviennent épaisses, opaques et colorées (beige ou vert), il est nécessaire de consulter

votre vétérinaire. Votre furet souffre probablement d'une infection bactérienne secondaire ou peut-être de la maladie de Carré.

- Les simples éternuements occasionnels ne signifient pas nécessairement que votre furet est infecté par le virus de l'influenza. Peut-être a-t-il fouillé dans un coin poussiéreux ou s'est-il chatouillé le museau avec un jouet en peluche.
- Durant cinq ou six semaines après sa guérison, votre furet sera immunisé contre la souche qui l'a infecté. Il ne sera malheureusement pas protégé contre d'autres souches d'influenza.

Le blocage intestinal

Le diamètre de l'intestin du furet est petit. Tout ce qu'il avale ne passe pas nécessairement aisément. Comme le furet adore mâchouiller et avaler une foule de choses, soyez très vigilant lorsqu'il est en liberté dans la maison. Voici tout ce qui a déjà été retrouvé dans l'intestin de furets :

- fragment d'éponge ;
- morceau de bas en nylon ;
- bouts de laine, de ruban, de tissu ;
- boule de poils ;
- cire de chandelle ;
- morceau de gomme à effacer ;
- morceau de bouchon de liège ;
- morceau de bouchon de baignoire ou de lavabo ;
- morceau de gant de caoutchouc ou de plastique ;
- morceau de tétine de biberon ;
- morceau de sandale de plastique ou de caoutchouc ;
- papier d'aluminium ;
- pellicule plastique ;
- morceau de semelle de chaussure (type Dr Scholl) ;
- morceau de tapis de souris d'ordinateur ;
- morceau de tapis ;

- morceau de sac de plastique ;
- os ;
- pièce de monnaie ;
- morceau de jouet en caoutchouc ;
- morceau d'éponge de bigoudis ;
- boule de ouate ;
- bouchon d'oreilles ;
- morceau de mousse de haut-parleur et d'écouteurs de baladeur ;
- morceau de styromousse servant à l'emballage ;
- morceau d'épaulette ;
- morceau de ballon de fête ;
- corde ;
- morceau de soulier de sport ;
- morceau d'isolant à plomberie ou de réfrigérateur ;
- morceau de balles anti-stress en caoutchouc ;
- arachides, noix, amandes ;
- légumes durs, crus ;
- laine d'acier (pour récurer la vaisselle).

Le furet aux intestins obstrués montre les symptômes suivants :
- anorexie ;
- vomissements ou efforts pour vomir. Il salive, recule, abaisse la tête, ferme les yeux et allonge son cou. Les contractions de son abdomen produisent un son sourd caractéristique ;
- diarrhée ou selles muqueuses brunes ou noires parfois teintées de sang ;
- constipation ;
- efforts pour déféquer ;
- abattement, faiblesse et déshydratation ;
- douleurs à l'abdomen. Le furet dort normalement en boule. S'il dort étendu, il a probablement mal au ventre.

Furet zibeline

Furets argentés avec marques blanches

Furet albinos

À l'aide de la palpation de l'abdomen et d'une radiographie, le vétérinaire confirmera le diagnostic. Le corps étranger sera enlevé par chirurgie.

La convalescence se déroule généralement bien et le furet retourne rapidement à la maison. Des complications (par exemple péritonite par perforation de l'intestin) sont possibles et le pronostic est alors plus sombre.

Remarques

- On note que les blocages intestinaux sont causés plus fréquemment par des corps étrangers chez les jeunes et par des boules de poils chez les plus âgés.
- Si vous pensez que votre furet a avalé un corps étranger, administrez-lui une pâte laxative contre les boules de poils (Laxatone, Vitalax ou tout produit équivalent). Si l'objet est assez petit, la pâte le fera glisser dans l'intestin. Consultez rapidement votre vétérinaire si un ou plusieurs des symptômes de blocage apparaissent.

L'insulinome

Le pancréas est un organe vital. Il participe activement à la digestion des aliments en déversant ses enzymes dans le petit intestin. Il est également responsable du contrôle de la glycémie (taux de sucre sanguin) en produisant des hormones, dont l'insuline.

L'insulinome est une tumeur des cellules bêta du pancréas. En se cancérisant, ces cellules se multiplient et produisent de l'insuline en trop grande quantité, ce qui fait chuter le glucose sanguin.

La maladie est insidieuse et progressive. Au début, les signes cliniques sont subtils, mais avec le temps ils deviennent de plus en plus évidents. Votre furet :
- est plus calme ;
- manque d'énergie, est léthargique ;
- dort davantage ;

- se réveille difficilement;
- éprouve des faiblesses ou fait preuve de maladresse avec ses pattes arrière;
- salive davantage;
- se gratte l'intérieur de la gueule avec les pattes avant comme s'il y avait quelque chose de coincé;
- perd du poids;
- se fatigue plus rapidement au jeu;
- regarde droit devant lui sans bouger et sans répondre à vos appels (moments de stupeur, regard hagard);
- est pris de convulsions;
- devient comateux.

Plus on diagnostique la maladie rapidement, plus les chances de survie à moyen et à long terme sont bonnes. On parle de survie et non pas de guérison, car cette tumeur dissémine généralement des métastases dans tout le pancréas.

L'insulinome est de loin le cancer le plus fréquent chez les furets d'Amérique du Nord, suivi par les tumeurs des glandes surrénales. Il affecte les furets dès l'âge de trois ou quatre ans. La cause de ce cancer n'est pas connue. Certains chercheurs croient qu'un furet consommant beaucoup de sucre court plus de risques de le développer, mais les études scientifiques sérieuses font défaut.

Le diagnostic de l'insulinome est établi grâce à une prise de sang pour l'analyse de la glycémie. Parfois, le dosage de l'insuline confirme la maladie, mais ce test est rarement nécessaire. L'expérience indique qu'un taux de sucre sanguin inférieur à 60 mg/dl (3,3 mmol/L) après trois heures de jeûne n'est pas de bon augure. Certains auteurs considèrent même cette valeur comme le signe diagnostique certain de la maladie (valeurs normales de glycémie du furet à jeun : 90 à 125 mg/dl – 4,9 à 6,9 mmol/L). Que faire avec un furet qui a un insulinome?

Traitement chirurgical

L'excision de la petite masse visible sur le pancréas est le traitement de choix. La chirurgie est mineure et la convalescence est facile. Même si les rechutes sont fréquentes à cause des métastases, il reste qu'une telle chirurgie augmente l'espérance de vie de six mois à trois ans en moyenne. Les furets opérés auront éventuellement besoin d'un traitement médical.

Traitement médical

Si, pour quelque raison que ce soit, votre furet n'est pas un candidat idéal à la chirurgie (trop vieux, maladie cardiaque rendant l'anesthésie risquée, etc.), il pourra quand même bénéficier de certains médicaments. Le traitement médical ne guérit pas ni n'arrête la progression de la maladie, mais il aide à contrôler l'hypoglycémie responsable des symptômes incommodants. Votre vétérinaire prescrira en premier lieu de la prednisone (anti-inflammatoire). Ce produit augmente la glycémie en forçant le corps à utiliser ses réserves de sucre. La posologie doit être augmentée à mesure que l'organisme du furet résiste au médicament.

Des contrôles fréquents de la glycémie sont nécessaires. Lorsque la dose maximale de prednisone est atteinte et que le furet ne réagit plus à ce traitement, on peut ajouter un deuxième médicament : le diazoxide. Cette substance diminue la sécrétion d'insuline. Dernièrement, ce médicament a été associé à des effets secondaires sérieux chez les humains. Ces problèmes n'ont pas encore été observés chez le furet, mais son utilisation devrait se faire sous surveillance médicale.

Cette thérapie pourra aider le furet à survivre en moyenne de six mois à un an et demi. Si le furet reçoit les doses maximales des deux drogues et que, malgré tout, sa condition générale se dégrade (les crises hypoglycémiques sont de plus en plus fréquentes), l'euthanasie doit être envisagée.

Il est aussi possible d'utiliser la chimiothérapie pour détruire le plus de métastases possible. Cependant, la plupart de ces substances chimiques provoquent des effets secondaires graves et parfois mortels. Récemment, un nouveau médicament (doxorubicin) a été testé avec de bons résultats. La recherche sur cette maladie va bon train.

La crise hypoglycémique

Elle survient au moment où le glucose sanguin est si bas que les cellules du cerveau ont peine à fonctionner. Le furet aura alors des convulsions et pourra même entrer dans le coma. S'il ne reçoit pas rapidement les soins appropriés, il peut mourir.

Ces crises se manifestent le plus souvent à la suite d'un jeûne, d'un exercice violent ou d'une période de sommeil prolongée.

Vous pouvez diminuer la fréquence de ces crises, comme suit :
- Administrez les médicaments en suivant rigoureusement la posologie.
- Faites analyser régulièrement la glycémie du furet.
- Offrez-lui plusieurs petits repas durant la journée. En s'alimentant fréquemment, il lui sera plus facile de maintenir un taux de sucre sanguin adéquat.
- Nourrissez-le immédiatement après un jeu ou un exercice intenses.
- Évitez les gâteries sucrées. Substituez-leur la purée de viande pour bébé ou le supplément A/D de Science Diet vendu dans les cliniques vétérinaires.

Soins à prodiguer au furet qui fait une crise hypoglycémique :
- Frottez-lui les gencives avec une petite quantité de sirop de maïs ou de miel. Répétez l'opération toutes les trois ou cinq minutes jusqu'à ce que le furet puisse se tenir à nouveau sur ses pattes. Le tout peut prendre jusqu'à 30 minutes.
- Gardez votre furet bien au chaud dans une couverture.
- Offrez-lui un repas riche en protéines et en gras (sa nourriture sèche habituelle détrempée d'eau tiède) quand sa condition le lui permet.
- Attention de ne pas trop donner de sirop de maïs ou de miel à votre furet lorsqu'il a repris conscience, car vous pourriez provoquer de nouvelles convulsions.

Ces mesures viennent habituellement à bout des crises peu sévères. Toutefois, si l'état de votre furet ne s'améliore pas après quelques minutes de soins, transportez-le chez votre vétérinaire. Il aura probablement besoin d'une perfusion de glucose et de soins plus élaborés.

Conseil

- L'ajout de levure de bière dans l'alimentation peut contribuer à stabiliser la glycémie. Ce produit ne guérit pas l'insulinome, mais peut être utilisé avec les autres traitements. On trouve la levure de bière dans les boutiques d'aliments naturels. Donnez-en deux fois par jour en respectant la posologie suivante : ⅛ de c. à thé de préparation en poudre ou ¼ de comprimé.

Une complication rare : le diabète sucré (diabète *mellitus*)

Lors de l'ablation chirurgicale d'un insulinome, il se peut que le pancréas réagisse mal aux manipulations. Il survient alors chez le patient un diabète sucré (insuffisance sévère d'insuline associée à un taux de sucre sanguin anormalement élevé). Heureusement, ce diabète est le plus souvent transitoire. Le tout rentre généralement dans l'ordre sans traitement, dans un laps de temps qui peut aller de quelques jours à deux semaines. Des injections d'insuline sont rarement requises. Même si l'on doit en faire parce que le cas est sévère, le diabète se résorbe le plus souvent au bout de 4 à 6 semaines. Une infime proportion des furets incommodés par cette complication devra recevoir de l'insuline à vie. Faire vérifier régulièrement la glycémie du furet après l'exérèse de l'insulinome est une mesure sage. Les symptômes du diabète du furet sont les mêmes que pour nous : soif intense, besoin d'uriner souvent, perte de poids malgré un appétit augmenté. Le taux de glycémie reste élevé (plus de 300 mg/dl – 16,6 mmol/L).

Remarque

- Des cas de diabète sucré survenus subitement et non reliés à une complication de la chirurgie de l'insulinome ont été rapportés. Leur cause est nébuleuse. Certains auteurs estiment qu'un régime riche en sucre raffiné pourrait provoquer la maladie. Ce type de diabète est difficile à stabiliser, même avec l'injection d'insuline.

La tumeur de la glande surrénale

Les glandes surrénales sont situées juste au-dessus des deux reins. Elles sont très petites et sécrètent des hormones essentielles. On observe deux zones importantes dans la glande surrénale : la médulla, qui produit l'adrénaline (hormone de survie nécessaire dans les situations d'urgence) ; et le cortex. Celui-ci se subdivise en trois couches qui possèdent chacune une fonction précise : la production d'une hormone qui régularise l'excrétion urinaire du sodium et du potassium ; la production du cortisol (hormone cousine de la cortisone) ; et enfin la production d'hormones sexuelles (estradiol, progestérone, androgène).

Chez le furet, les tumeurs de la glande surrénale se développent dans la couche qui produit les hormones sexuelles. La maladie se déclare généralement entre trois et cinq ans, mais on peut la rencontrer chez des individus d'à peine un an.

La grande majorité des tumeurs de cette glande sont bénignes, c'est-à-dire qu'elles ne produisent pas de métastases. Sans métastases, le pronostic est bon après l'excision de la glande malade.

C'est par un examen microscopique de la glande enlevée qu'un pathologiste peut déterminer avec exactitude si votre furet est atteint d'un cancer bénin (adénome), d'une hyperplasie ou d'un cancer malin (adénocarcinome). La maladie est progressive et les signes cliniques sont caractéristiques.

Au début, vous remarquerez une perte anormale de poils. Avec le temps, des zones dénudées feront leur apparition. Les endroits princi-

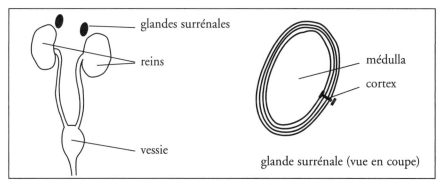

Glandes surrénales

palement atteints sont la queue, le bas du dos, la zone près des épaules et le bas de l'abdomen. Cette alopécie (perte anormale de poils) est toujours symétrique et progresse plus ou moins rapidement. Certains furets deviennent presque totalement glabres.

Bien que l'alopécie soit le symptôme le plus spectaculaire de cette maladie (on l'observe chez près de 90 % des sujets malades), elle est aussi souvent associée à l'un ou l'autre des problèmes suivants :

- peau amincie ;
- démangeaisons cutanées et croûtes (gales) ou irritations dues au grattage ;
- peau hyperpigmentée (plus foncée) ;
- amaigrissement ;
- manque d'énergie ;
- fonte de la masse musculaire ;
- signe de chaleur chez la femelle (vulve enflée) ;
- chez le mâle, problèmes à uriner dus à une compression de l'urètre par la prostate, qui a grossi à cause de la formation de kystes ; certains individus souffrent de blocage urinaire total. Cette incapacité à uriner est considérée comme une urgence médicale ;

- chez le mâle, retour à des comportements sexuels (libido accrue) et augmentation de l'agressivité;
- odeurs corporelles plus intenses.

On pose généralement le diagnostic grâce aux signes cliniques caractéristiques. Il est tout de même possible de procéder au dosage des hormones sexuelles pour confirmer un cas douteux. L'échographie peut être intéressante pour évaluer l'état des glandes.

Le traitement chirurgical est préférable à la médication pour les furets aptes à subir une chirurgie. L'opération est idéalement faite par un vétérinaire expérimenté, car la technique peut parfois s'avérer délicate. La glande gauche est facile à retirer, mais la droite est assise sur un vaisseau sanguin majeur (veine cave) et un faux mouvement peut causer une hémorragie grave, voire fatale. Plusieurs protocoles opératoires existent. Votre vétérinaire optera pour la façon qui lui convient le mieux.

Pour les furets inaptes à la chirurgie ou dont le propriétaire ne désire pas les faire opérer, les médicaments peuvent aider à minimiser les symptômes sans toutefois guérir la maladie. Beaucoup de recherches sont faites afin de trouver le meilleur traitement et peut-être un jour un médicament curatif. Plusieurs substances ont été essayées avec un succès très variable. Jusqu'à présent, le Lupron (acétate de leuprolide) est le médicament le plus recommandé. Discutez avec votre vétérinaire de la meilleure action thérapeutique pour votre furet. Il pourra vous renseigner sur les derniers progrès.

Les médicaments disponibles

- Mitotane (Lysodren): ce médicament fut l'un des premiers. Il a le désavantage de causer beaucoup d'effets secondaires. Il attaque les glandes surrénales et les détruit. Il n'est plus recommandé aujourd'hui.
- Acétate de leuprolide (Lupron): c'est actuellement le médicament de choix. Il inhibe la production d'androgène et d'œstrogène par les glandes surrénales. Les symptômes de la maladie disparaissent pendant

quelques mois. Une autre injection est nécessaire lorsqu'il y a réapparition des symptômes incommodants. Le Lupron est utilisé depuis peu pour traiter la maladie des glandes surrénales des furets. Il a l'avantage d'être efficace et de causer peu d'effets secondaires. Son prix très élevé en fait un choix de traitement parfois inabordable pour certains.

- Anastrozole (Arimidex) : bloque la production d'œstrogène.
- Tamoxifène (Nolvadex) : interfère avec l'œstrogène.
- Bicalutamide (Casodex) : bloque les récepteurs d'androgène.
- Mélatonine : ce produit a été étudié récemment comme option thérapeutique. Les résultats sont prometteurs.

On ne connaît pas encore la cause de ces tumeurs. La stérilisation hâtive des furets (six semaines) semble jouer un rôle dans le déclenchement de la maladie.

Remarques

- À l'occasion, on observe chez le furet une alopécie saisonnière de la queue. Elle est sans conséquence et les poils repoussent toujours. Ne vous inquiétez pas si la queue seule est touchée. Vous observerez par la même occasion que la peau de la queue est parsemée de taches noires ; ce sont des comédons.
- Une femelle stérilisée qui montre des signes de chaleur (vulve enflée) peut avoir une tumeur sur la glande surrénale, ou il peut rester dans son abdomen un morceau d'ovaire oublié lors de la stérilisation. L'alopécie n'accompagne pas nécessairement tous les cas de tumeurs de la glande surrénale.
- Près de 25 % des furets atteints d'une tumeur de la glande surrénale ont aussi une tumeur pancréatique (insulinome).
- Un furet qui ne reçoit aucun traitement pour sa glande surrénale malade peut développer de l'anémie, des problèmes de coagulation et même une immunodépression consécutive au mauvais

fonctionnement de la moelle osseuse affectée par un taux anormalement élevé d'hormones sexuelles.

- Après l'excision de la tumeur, les poils repoussent et tous les symptômes se résorbent. Quelques furets devront toutefois attendre la prochaine mue normale (printemps ou automne) pour que les follicules pileux se remettent en action.
- Ce type de tumeur, très fréquent en Amérique du Nord, l'est beaucoup moins en Europe. L'explication vient peut-être du fait qu'en Europe les furets ne sont pas systématiquement stérilisés à six semaines. Ils vivent plus souvent à l'extérieur (photopériode naturelle).

Le lymphosarcome

Le lymphosarcome est une tumeur cancéreuse formée par une prolifération anormale de lymphocytes. Il existe deux formes de cette maladie :

- Forme aiguë : on la rencontre surtout chez les jeunes furets (moins de deux ans) et son évolution est rapide. Les lymphocytes (globules blancs) tumoraux infiltrent les organes vitaux et entravent sérieusement leur fonctionnement.
- Forme chronique : elle se caractérise par une progression lente et insidieuse. Ici, le principal symptôme est l'augmentation du volume des nœuds lymphatiques (les ganglions). Les cellules tumorales se dispersent par la suite dans les autres organes.

Dans l'une ou l'autre des formes, les signes cliniques dépendent des organes atteints. Par exemple :

- Vomissements : masse dans l'estomac ;
- Difficultés respiratoires : masse dans le thorax ;
- Gros abdomen : possible augmentation du volume de la rate.

Grâce à l'analyse microscopique d'un échantillon de tissu prélevé au niveau de la rate, d'un ganglion ou d'une masse suspecte, on peut poser le diagnostic. Une radiographie et une prise de sang sont nécessaires pour évaluer l'ampleur de la maladie.

Malheureusement, il n'existe pas de traitement curatif, mais des médicaments peuvent ralentir la progression du lymphosarcome. L'euthanasie est indiquée lorsque le furet est au plus mal. Quelques furets ont vu leur vie prolongée grâce à la chimiothérapie et à la radiothérapie. La cause de cette maladie chez l'animal est inconnue, mais on soupçonne une origine virale.

La splénomégalie

Ce terme désigne une augmentation du volume de la rate. Facilement palpable du côté gauche de l'abdomen, cet organe peut atteindre des dimensions impressionnantes. La rate est parfois si grosse (elle peut atteindre jusqu'à 12 cm de long sur 4 cm de large) que l'abdomen est penduleux (ventre en besace). La rate normale mesure en moyenne 5 cm de longueur sur 2 cm de largeur et 1 cm d'épaisseur.

La plupart des cas de splénomégalie sont d'origine inconnue et sans conséquence pour le furet. Plusieurs maladies comptent parmi leurs symptômes une augmentation du volume de la rate (lymphosarcome, problèmes cardiaques, etc.).

Une biopsie est nécessaire pour établir la raison du problème. La rate n'étant pas un organe essentiel, on peut l'enlever si elle est tumorale ou si elle présente des risques de rupture. L'excision de la rate est aussi indiquée lorsqu'elle fonctionne anormalement et qu'elle détruit exagérément les cellules sanguines (hypersplénisme).

Remarque

- Une grosse rate est plus fragile et peut se rompre lors de manipulations normales (palpation lors d'un examen) ou de coups accidentels (chute, etc.). La rupture de la rate provoque une grave hémorragie et le furet meurt rapidement. Un furet atteint de splénomégalie doit être manipulé avec beaucoup de douceur et de vigilance.

La maladie aléoutienne

Un parvovirus est responsable de cette maladie qui fut d'abord décrite chez les visons (pour la première fois durant les années 1940). Le virus touche plus sévèrement les visons porteurs du gène de la couleur aléoutienne (bleu), d'où le nom de la maladie. La maladie aléoutienne est considérée comme très contagieuse et la contamination entre animaux se fait par contact avec les sécrétions et les fluides corporels des furets malades. La contamination peut également se faire par des objets contaminés, des gouttelettes en suspension dans l'air (furet qui éternue) ou par des puces qui ont piqué un animal positif. Il n'existe présentement aucun traitement et aucun vaccin n'est disponible.

Insidieux, le virus s'attaque aux cellules du système immunitaire, les dérègle et provoque leur précipitation dans différents organes du corps. Les symptômes de la maladie dépendent des organes atteints. Ce n'est qu'au cours des années 1960 que la maladie est apparue chez le furet. Depuis lors, elle fait des ravages dans certaines populations. Comme les signes cliniques sont variables et que parfois ils se manifestent longtemps après le début de l'infection (le furet est contagieux pendant cette période), la maladie est difficilement contrôlable.

Les symptômes possibles

- Décès subit sans symptômes : le furet semble en bonne condition générale. Cette situation est rare.
- Dégradation progressive de la condition de santé : initialement, les symptômes ne sont pas spécifiques : toux, éternuements et faiblesse des pattes arrière. Par la suite surviennent d'autres signes : perte de poids, perte d'appétit, faiblesse, pâleur, fèces noires, diarrhée, problèmes respiratoires soudains, perte d'équilibre, paralysie, tremblements, convulsions.

Comme il n'existe aucun vaccin pour prévenir la maladie aléoutienne et que la condition est incurable, le dépistage des animaux
positifs est essentiel. Le furet malade doit être isolé des autres afin
d'éviter une propagation du virus. Mais il n'est pas facile d'identifier
les animaux porteurs.

Les tests possibles
- Prise de sang pour détecter la présence d'anticorps contre le virus.
- Prise de sang pour mesurer les gammaglobulines (elles sont anor-
  malement élevées chez le furet atteint de la maladie).
- Biopsie (le virus est visible au microscope).
- De nouveaux tests sanguins et salivaires sont disponibles depuis
  peu, mais on doit interpréter prudemment les résultats. La re-
  cherche progresse.

L'eau de Javel est un désinfectant efficace contre le virus et peut être
utilisée pour désinfecter les lieux et les objets contaminés.

La cardiomyopathie

Les cardiomyopathies sont causées par le mauvais fonctionnement du
muscle cardiaque. On les divise en deux catégories :
- Cardiomyopathie hypertrophique : le muscle cardiaque s'épaissit
  énormément, ce qui réduit l'espace disponible pour le sang à l'intérieur du cœur.
- Cardiomyopathie dilatée : le cœur perd son tonus et se relâche,
  devient très gros, et ses parois s'amincissent. Il arrive à peine à se
  contracter suffisamment pour faire circuler le sang.

Les problèmes cardiaques surviennent la plupart du temps chez les
furets âgés de trois ans et plus. La cause des cardiomyopathies est inconnue. Depuis quelque temps, on soupçonne une carence en taurine

(acide aminé). En attendant des études plus précises, il est avantageux de choisir une nourriture sèche pour furet qui contient de la taurine.

Le mauvais fonctionnement du cœur provoque des reflux de liquides dans le foie et les poumons. De l'eau s'accumule dans les poumons, le foie se gorge de sang, grossit et cause un épanchement de sérosité dans l'abdomen (ascite). Un furet au cœur malade aura un ou plusieurs des symptômes suivants:

- fatigue, léthargie;
- intolérance à l'effort;
- faiblesse des pattes arrière;
- perte de poids;
- gros abdomen;
- respiration difficile;
- toux (surtout la nuit);
- froideur de la peau, surtout aux extrémités.

L'auscultation cardiaque et la radiographie du thorax permettent de poser le diagnostic. L'échographie mesure précisément l'épaisseur des parois cardiaques et permet de distinguer une cardiomyopathie hypertrophique d'une cardiomyopathie dilatée. Un électrocardiogramme peut aussi aider au diagnostic.

Des médicaments permettent de contrôler la maladie sans toutefois la guérir. Il en existe deux principaux. L'un augmente la force de contraction du cœur; l'autre aide à éliminer les liquides indésirables qui s'accumulent dans les poumons et l'abdomen.

Des petites attentions pour le furet cardiaque

- Évitez les aliments salés.
- Évitez les stress.
- Ne donnez pas de jouets lourds à votre animal: il se fatiguerait à vouloir les traîner.
- Abaissez le rebord de la litière: ce sera plus facile pour lui d'y accéder.

- Ne soumettez pas votre furet à des exercices violents. Les périodes de jeux doivent être courtes.
- Gardez votre furet dans un environnement tempéré. La chaleur est très incommodante, surtout s'il y a beaucoup d'humidité.

Remarques

- Les vers du cœur provoquent des symptômes semblables aux cardiomyopathies. Votre vétérinaire vous proposera un test de dépistage.
- Il est normal que le rythme cardiaque de certains furets soit irrégulier. Il est question ici d'arythmie sinusale : le cœur bat plus rapidement lorsque l'animal inspire et plus lentement quand il expire.
- Quelques lignées de furets sont atteintes de problèmes cardiaques congénitaux. La vigilance des éleveurs contribue à en diminuer l'incidence.
- La documentation scientifique rapporte le cas d'un furet de 10 ans ayant bénéficié de l'implantation d'un défibrillateur (*pacemaker*). Bien que toute nouvelle, cette technologie est certainement prometteuse.

Les tumeurs cutanées

Elles sont fréquentes chez le furet qui avance en âge.

Faites enlever rapidement toute masse apparaissant sur la peau de votre animal. Plusieurs tumeurs cutanées sont bénignes, mais quelques-unes peuvent produire des métastases.

Le furet peut avoir plusieurs tumeurs à différents endroits du corps. Elles n'apparaissent pas nécessairement en même temps. Plusieurs chirurgies seront nécessaires.

Le mastocitome est une des tumeurs cutanées les plus souvent observées. On peut le rencontrer partout sur le corps, mais les régions de la tête, du cou, des épaules et du dessus du dos sont les plus souvent touchées. Le mastocitome se présente comme une masse solitaire ou multiple, bien délimitée et surélevée. Il est sans poils et souvent couvert d'une croûte de sang séché, car le furet le gratte souvent. Pour cette tumeur, l'excision est curative. Souvent, d'autres mastocitomes peuvent apparaître ailleurs.

La dirofilariose (ver du cœur)

Les moustiques sont responsables de la transmission des vers du cœur (*Dirofilaria immitis*). Ils se contaminent en piquant un animal infesté. Les larves du parasite (microfilaires) se logent dans leurs glandes salivaires et pénètrent dans un autre animal lorsque les moustiques piquent de nouveau.

Comme les furets vivent la majeure partie de leur vie dans la maison, ils sont peu exposés à ces moustiques. Discutez avec votre vétérinaire de la pertinence d'offrir à votre animal un traitement préventif. Bien que l'infestation soit rare chez le furet, il est préférable de la prévenir. Cela dit, le diagnostic est difficile à établir, car les tests faits chez les chiens sont peu ou pas efficaces chez le furet.

Voici les tests diagnostiques disponibles :
- Radiographie : les changements cardiaques typiques observés chez le chien sont absents ou très peu visibles chez le furet.
- Échographie cardiaque : peut être efficace chez le furet.
- Test sanguin visant à déterminer la présence de microfilaires ; environ 50 % des furets ont des microfilaires dans le sang.
- Dosage de l'antigène du parasite : le furet est normalement parasité par un seul ver ou par très peu de vers. Ce test détecte le ver femelle seulement. Donc, le résultat est un faux négatif si le furet est parasité par un ver mâle.

Le furet qui héberge le parasite peut montrer des symptômes généraux (toux, léthargie, faiblesse, problèmes respiratoires, mort subite).

Remarques

- Une seule piqûre de moustique infesté est nécessaire pour contaminer le furet.
- Étant donné la petitesse du cœur du furet, un seul ver adulte peut provoquer des signes cliniques. Un ver adulte peut mesurer jusqu'à 30,5 cm !
- Administrez systématiquement un traitement préventif mensuel à votre furet si vous visitez avec lui des pays où la maladie est endémique (sud des États-Unis, Japon et Australie). Votre vétérinaire vous proposera le meilleur traitement. Par exemple, des comprimés d'ivermectin (Heartgard pour les petits chiens) pourraient convenir. La posologie est de $\frac{1}{4}$ de comprimé de 68 microgrammes une fois par mois, tant que les moustiques sont présents.

Les mites d'oreilles (otacariose)

Les mites d'oreilles (*Otodectes cynotis*), communes chez les furets, sont des acariens, plus petits que la pointe d'une aiguille, qui s'attaquent à l'oreille externe. Les mites y trouvent gîte et nourriture, se multiplient rapidement, et leur nombre peut dépasser facilement la capacité d'accueil des oreilles. En piquant, elles causent une irritation importante, parfois une otite sévère, voire la rupture du tympan. La surdité est alors une séquelle possible.

Ces acariens n'hésitent pas à se balader dans la fourrure du furet, autour des oreilles et sur la tête, parfois plus loin, sur les épaules, et même dans les régions anale et génitale. Ils envahissent facilement la cage, les couvertures, les tapis et l'environnement du furet. Ils peuvent infester les chiens, les chats et les autres furets, même par contact indirect.

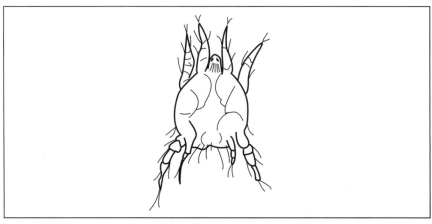

Otodectes cynotis

Le diagnostic est facile. Parfois les mites sont visibles dans les oreilles lors d'un examen avec l'otoscope. L'otoscope est un instrument médical muni d'une forte lumière et conçu pour l'examen des oreilles. Si nul parasite n'est visible, on examine au microscope un prélèvement de cérumen, ce qui permet de démasquer les individus bien cachés au fond.

Le traitement est efficace si on l'applique rigoureusement. Il se fait en deux étapes :

1. Traitement de l'animal
   Une application dans les oreilles d'un produit à base d'ivermectin est un traitement très efficace, indolore et sans effets secondaires. Deux traitements à 15 jours d'intervalle suffisent. Les produits antimites destinés aux chiens et aux chats feraient aussi l'affaire, mais leur utilisation est fastidieuse.

2. Désinfection de l'environnement
   Nettoyez tout — la cage, les jouets, la literie, etc. Appliquez un produit anti-puces dans la maison, aux endroits que le furet fréquente.

Conseils

- Si l'un de vos animaux (furet, chat, chien ou lapin) est infesté par des mites d'oreilles, les autres le sont sans doute aussi. Faites-les tous examiner par le vétérinaire.
- Tous vos animaux doivent être traités en même temps. Sinon, vous aurez du mal à vous débarrasser des parasites.
- Mettez votre nouveau furet en quarantaine en attendant d'en savoir plus sur l'état de ses oreilles.
- Ne pensez pas que votre furet est exempt de parasites simplement parce qu'il ne se gratte pas les oreilles. Curieusement, les furets, même lourdement infestés, ne semblent pas éprouver de démangeaisons excessives.
- La présence de cérumen noir dans les oreilles de votre furet ne signifie en rien qu'il est parasité : la couleur normale du cérumen de ces animaux est brun-noir.
- Il peut arriver que l'*Otodectes cynotis* pique les humains. La sensibilité des gens varie beaucoup. Si vous remarquez de petits points rouges sur votre cou, vos bras ou vos cuisses, consultez un dermatologue. Faites aussi examiner votre furet. Les lésions chez l'humain apparaissent aux endroits qui ont été en contact avec l'animal. Par ailleurs, ces parasites ne peuvent pas vivre sur vous ; ils ne sont que des visiteurs occasionnels et transitoires.

Les puces *(Ctenocephalides sp.)*

Les puces dérangent énormément les animaux qu'elles parasitent. Elles piquent pour se nourrir de sang et occasionnent ainsi d'importantes démangeaisons. Un furet fortement parasité depuis assez longtemps peut même devenir anémique.

Pour détecter les puces sur votre furet, tenez-le au-dessus d'un tissu blanc ou d'un essuie-tout, puis frottez son dos énergiquement avec la main durant une quinzaine de secondes en prenant soin de bien soulever les poils. Recherchez ensuite de petits grains noirs sur le papier ou le tissu. S'il y en a, déposez une goutte d'eau dessus. S'ils deviennent rouges, ce sont des excréments de puces. S'ils restent noirs, ce sont des grains de sable ou des saletés.

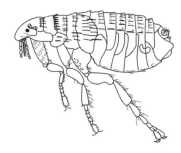

Puce

Conseils

- Utilisez des produits anti-puces destinés aux chats et non aux chiens.
- Évitez les produits à base d'organophosphates (aérosol ou collier).
- Les produits à base de pyréthrines (aérosol, poudre ou mousse) sont sûrs.
- Vaporisez le produit insecticide sur une brosse puis frottez votre furet. De cette façon, vous éviterez d'intoxiquer l'animal avec des doses excessives.
- Laissez bien sécher les insecticides après leur application. Le furet qui lèche le produit humide salive énormément. L'inconfort ne devrait pas durer plus d'une dizaine de minutes.
- Les colliers à puces pour chat ne sont pas efficaces pour éliminer toutes les puces. Ils peuvent causer une dermatite au cou s'ils sont trop serrés. De plus, le furet pourrait l'enlever et en ingérer un morceau.

Les nouveautés

De nouveaux produits antiparasitaires destinés aux chiens et aux chats sont apparus récemment. Leur utilisation facile (petite quantité de liquide à appliquer sur la peau), leur très faible toxicité et leur grande efficacité en ont fait des traitements de choix. Comme ils ne sont pas homologués pour le furet, on doit les utiliser avec prudence. Cependant, des études de plus en plus nombreuses tendent à confirmer leur innocuité. Discutez de ces produits avec votre vétérinaire avant de les utiliser pour votre furet :

- Selamectin (Revolution) de Pfizer : efficace contre les puces, tiques, mites d'oreilles, gale sarcoptique, vers à crochet, vers ronds et vers du cœur ;
- Imidacloprid (Advantage) de Bayer : efficace contre les puces.

La gale sarcoptique *(Sarcoptes scabiei)*

Ce parasite creuse des tunnels dans la peau et cause d'intenses démangeaisons.

Il affecte particulièrement les pieds du furet. Les orteils enflent et se couvrent de croûtes. Si l'animal n'est pas traité, il peut perdre ses griffes. De plus en plus rare, cette maladie n'en est pas moins préoccupante, car elle est contagieuse pour les furets, les autres animaux et l'humain.

Votre vétérinaire pose le diagnostic en identifiant le parasite au microscope. Le traitement est simple et efficace.

La teigne (dermatophytose)

Causée par des champignons microscopiques ayant une prédilection pour les poils, les griffes, les plumes ou la couche superficielle de la peau, la teigne est transmissible à tous les animaux à fourrure, aux humains et même aux oiseaux et aux reptiles. Toute région sans poils doit être examinée par votre vétérinaire. Il établit le diagnostic en effectuant un prélèvement de poils autour de la lésion douteuse. Le prélèvement est mis en milieu de culture. S'il y a croissance du champignon, le diagnostic est confirmé.

Pour les cas mineurs, un médicament topique suffit. La teigne généralisée (plusieurs zones sans poils) exige un traitement plus vigoureux : rasage de l'animal, traitement cutané et administration de médicaments par voie orale. Il est important de bien désinfecter l'environnement de l'animal avec de l'eau de Javel (une partie d'eau de Javel pour neuf parties d'eau).

Remarques

- Lavez-vous les mains après avoir manipulé un animal contagieux. Utilisez un savon à base de chlorexidine (par exemple Hibitane).
- La teigne n'est pas fréquemment rencontrée chez les furets. Le plus souvent, elle est transmise par d'autres animaux : le chat, par exemple.

La diarrhée

Quelle que soit la cause de la diarrhée, il faut la soigner rapidement, car elle entraîne une déshydratation plus ou moins sévère de l'animal. Les selles normales d'un furet sont brun foncé, molles mais bien formées. Inquiétez-vous si votre animal produit des selles teintées de sang, noires, vertes avec du mucus, ou liquides.

La diarrhée consécutive à l'administration d'antibiotiques

Un furet sous antibiotiques ne devrait pas souffrir de diarrhée, car la flore bactérienne de son intestin est rudimentaire et peu affectée par le médicament.

La diarrhée provoquée par des aliments

Un furet peut avoir la diarrhée à la suite de l'ingestion d'un aliment nouveau. Procédez graduellement si vous décidez de changer son alimentation.

La diarrhée bactérienne

Rare chez le furet, cette maladie se manifeste surtout chez les individus qui consomment de la viande crue, comme le poulet, ou des produits laitiers non pasteurisés. Plusieurs bactéries peuvent être impliquées (*Salmonella sp., Mycobacterium sp., Campilobacter sp.*). Ces bactéries sont potentiellement transmissibles aux humains. Soyez donc toujours prudents lorsque vous manipulez un furet malade. Ce type de diarrhée nécessite une attention vétérinaire et parfois une hospitalisation.

La diarrhée virale

L'entérite catarrhale épizootique se caractérise par une diarrhée verdâtre et profuse. On l'a identifiée pour la première fois aux États-Unis en 1993. Elle est très contagieuse, mais rarement mortelle si le furet est traité rapidement.

À l'été 1999, un chercheur américain a identifié l'agent responsable de cette maladie, un coronavirus. Grâce à cette découverte, un vaccin sera probablement mis au point. Pour l'instant, misez sur la prévention. Évitez de manipuler des furets inconnus (expositions, etc.). Si vous le faites, désinfectez-vous les mains avant de toucher votre furet.

Les parasites intestinaux

Grâce à l'analyse microscopique d'un échantillon d'excréments, le vétérinaire peut déterminer si votre furet est infesté par des parasites intestinaux.

Les vers intestinaux sont rarement diagnostiqués chez les furets. Ce sont plutôt de petits organismes protozoaires appelés « coccidies » qui infestent à l'occasion les jeunes furets.

La maladie passe souvent inaperçue chez le jeune en bonne santé. Parfois, du sang teinte les selles, mais une infestation massive provoque des malaises intestinaux et la diarrhée.

Un prolapsus du rectum peut survenir si l'animal a forcé pour évacuer des selles diarrhéiques. Vous remarquerez alors un beignet de chair rouge autour de l'anus. Vous pouvez appliquer un peu de gelée de pétrole (Vaseline) sur ces tissus enflammés afin qu'ils ne sèchent pas, puis consultez votre vétérinaire.

Un traitement précoce de ces parasites est important pour les raisons suivantes :

- Il est beaucoup plus difficile de traiter un furet diarrhéique et déshydraté.
- La coccidiose (infestation par les coccidies) est potentiellement transmissible aux chiens et aux chats.
- Les fèces d'un furet malade contaminent son environnement. Les oocystes (coccidies immatures expulsées dans les selles) sont très résistants à plusieurs désinfectants. Un furet peut se contaminer sans cesse s'il est gardé dans un endroit très souillé. Comme les oocystes deviennent infectieux de 24 à 48 heures après leur expulsion, il suffit d'enlever les selles de la litière dès leur excrétion.

Remarques

- Un jeune furet infesté de coccidies a souvent l'abdomen rond et distendu. Son pelage est parfois terne et sec.
- L'analyse des selles devrait être faite dès la première visite chez le vétérinaire.

Les allergies

Tout comme les humains, les furets peuvent souffrir d'allergies. Les allergies se manifestent généralement par un ou plusieurs des symptômes suivants:

- éternuements anormalement fréquents;
- rougeur des paupières et écoulements oculaires;
- démangeaisons de la peau.

Il n'est pas facile de déterminer les causes de l'allergie. Si les symptômes sont saisonniers et récidivants, votre furet souffre probablement du «rhume des foins».

Les allergies peuvent aussi être causées par des substances présentes dans la maison. Dans ce cas, les symptômes sont persistants et empirent parfois avec le temps. Le retrait de l'agent en cause élimine totalement les signes d'allergies. Les produits suivants peuvent causer des allergies:

- les litières parfumées pour les chats;
- les shampooings parfumés;
- les résidus de produits nettoyants dans la cage ou sur les planchers;
- les poudres parfumées pour tapis;
- certaines lessives, savons ou assouplisseurs.

Remarques

- Les allergies sont heureusement peu fréquentes chez les furets.
- Si vous soupçonnez des allergies, assurez-vous que le furet n'est pas plutôt parasité (démangeaisons) ou simplement enrhumé (éternuements et problèmes oculaires).
- Un furet se gratte beaucoup. Il arrive même qu'il doive interrompre ses jeux pour se mordiller. Parfois les démangeaisons le réveillent, mais ne vous inquiétez pas: ce comportement est normal chez tous les furets. Tant que la peau demeure intacte et que le comportement ne devient pas excessif, vous n'avez pas à intervenir.

Les causes de démangeaisons sont :
- les parasites ;
- les allergies alimentaires ;
- d'autres allergies ;
- une tumeur de la glande surrénale ;
- des bains trop fréquents ;
- une alimentation déséquilibrée (carence en acides gras) ;
- un environnement sec ;
- des irritants cutanés (parfum, shampooing) ;
- une cause inconnue.

Le tartre dentaire

Le tartre est un dépôt de débris d'aliments et de bactéries sur les dents qui se durcit avec le temps. Le tartre peut irriter la gencive et causer la gingivite. Sans soins appropriés, la gencive malade ne retient plus adéquatement la dent, qui finit par tomber.

Afin de prévenir l'accumulation de tartre sur les dents, il est conseillé de :
- donner de la nourriture sèche ;
- brosser les dents du furet avec un dentifrice destiné aux animaux ;
- ne pas donner régulièrement de la nourriture molle ou en conserve ;
- ne pas donner d'aliments sucrés.

L'accumulation de tartre est principalement observée sur les dents arrière. La première dent affectée est souvent la 4e prémolaire. Les symptômes associés sont : la décoloration des dents (jaunâtres, verdâtres ou brunâtres), la mauvaise haleine, l'abondance de salive, les dents branlantes, les gencives rouges, de la difficulté à s'alimenter. Il ne faut pas négliger les maladies péridontiques chez le furet. Faites détartrer ses dents au besoin et suivez les mesures de prévention.

Une dent cassée

Il arrive fréquemment qu'un furet casse le bout d'une ou de plusieurs canines. Généralement, l'incident se produit lorsqu'il s'acharne à mordre les barreaux de sa cage ou qu'il se cogne en tombant.

Si la racine est exposée, le furet montrera des signes de douleur (hésitation à boire de l'eau froide, vocalisation lorsque la dent est touchée, difficulté à manger sa nourriture sèche). Le furet doit alors recevoir des soins spécialisés : extraction d'une dent ou obturation des canaux. Sans ces soins, la dent deviendra brune et il y aura un risque d'abcès.

Une masse au visage

Une enflure est apparue sur la face de votre furet. Plusieurs causes sont possibles :
- un abcès dentaire ;
- une tumeur des os de la face (ostéosarcome) ;
- la glande salivaire endommagée qui déverse la salive sous la peau.

Chaque condition nécessite un soin différent. Consultez rapidement le vétérinaire.

La microphtalmie

Certains furets naissent avec de tout petits yeux. Leurs globes oculaires sont atrophiés et souvent leur vue est mauvaise. Cette condition est héréditaire. Évitez donc de faire se reproduire ces individus.

La fusion partielle des paupières peut faire paraître les globes oculaires anormalement petits alors qu'ils sont normaux et que la vue est bonne. Un examen ophtalmologique est nécessaire afin de poser le bon diagnostic.

La cataracte

La cataracte est une affection qui cause l'opacification du cristallin situé derrière l'iris. Le centre de l'œil devient grisâtre et la vue baisse graduellement.

La cataracte affecte un œil ou les deux yeux. Elle peut être la complication qui survient à la suite d'une infection, du diabète, d'un traumatisme à l'œil ou tout simplement le résultat du vieillissement normal du cristallin. L'expérience du vétérinaire John H. Lewington corrobore l'hypothèse selon laquelle le galactose (sucre présent dans le lait en plus ou moins grande quantité selon les transformations qu'il a subies) pourrait être responsable de l'apparition de cataracte chez les furets qui en ont consommé beaucoup. Certaines cataractes sont aussi d'origine héréditaire.

Un furet aveugle peut très bien se débrouiller, mais la chirurgie de la cataracte est une solution possible. Discutez-en avec votre vétérinaire.

La conjonctivite

La conjonctivite peut toucher un œil ou les deux yeux à la fois. Elle peut être consécutive à une autre infection, notamment celle du système respiratoire supérieur. L'inflammation de la conjonctive de l'œil donne un aspect rosé aux paupières de l'œil atteint. Elles sont aussi parfois légèrement enflées, mi-closes ou totalement fermées. Un écoulement clair ou purulent survient si la condition n'est pas traitée tout au début. Typiquement, le furet se frotte l'œil (démangeaison) et est incommodé par la lumière intense. Votre vétérinaire prescrira le bon médicament après avoir bien examiné l'œil malade. Ne tentez pas de traiter cette infection avec des médicaments déjà prescrits pour vous ou pour un autre animal de la maison. Vous pourriez aggraver la situation. Les gouttes ophtalmiques contenant des antibiotiques et de la cortisone sont totalement contre-indiquées en cas d'ulcère cornéen. La cortisone empire l'ulcération et pourrait même endommager l'oeil irrémédiablement. C'est pourquoi l'examen vétérinaire minutieux de tout œil malade est impératif.

Remarque

- Un écoulement muqueux et purulent n'est pas toujours associé à une infection de l'œil. Il est possible que le blocage du canal lacrymal soit responsable de ce symptôme. Afin de régler le problème, il suffit de débloquer ce canal en y faisant passer de la saline stérile à l'aide d'un minuscule cathéter.

Les brûlures

Votre furet s'est aventuré dans les cendres du foyer où les braises de la veille sont encore chaudes? Vous devez le soigner avant de l'emmener chez le vétérinaire.

- Nettoyez bien les plaies avec de l'eau fraîche.
- N'appliquez jamais de corps gras (beurre, etc.) sur une brûlure.
- Protégez les blessures avec un bandage si elles sont importantes.

Les brûlures sont fréquemment causées par:
- une chandelle;
- un bol de soupe chaude ou une tasse de café renversée par le furet;
- un radiateur ou une plinthe électrique;
- un plat sortant du four.

Les fractures

Les fractures sont souvent causées par la curiosité et la témérité du furet qui s'aventure dans les escaliers, sur les balcons ou sur les meubles. Comme sa mauvaise vue ne lui permet pas de bien évaluer les distances, il saute sans crainte dans le vide. Une patte fracturée guérira généralement très bien, mais pas une fracture de la colonne vertébrale.

Gardez le furet blessé bien au chaud et au calme, puis rendez-vous rapidement chez votre vétérinaire. Selon la radiographie, il vous conseillera le traitement adéquat: bandage ou chirurgie.

La rigidité des pattes arrière

Les pattes arrière de certains furets deviennent parfois rigides sans raison apparente. Ces furets n'ont subi aucun traumatisme et ne souffrent pas, mais leurs pattes se raidissent et perdent leur flexibilité. Le furet est alors incapable de les utiliser pour marcher. La cause de ce problème est inconnue, mais il ne faut pas condamner trop rapidement ces furets : parfois, au bout d'une ou deux semaines, les pattes retrouvent leur flexibilité normale. Pour les autres, la situation se détériore irréversiblement.

Le chordome

Chez certains furets, des tumeurs touchent la moelle épinière. Typiquement, une masse dure apparaît au bout de la queue. Dans ce cas, l'amputation est curative. Plus rarement, une masse se forme au niveau de la colonne cervicale et la compression médullaire entraîne peu à peu la paralysie. Il est difficile, voire impossible d'enlever complètement une tumeur logée à cet endroit.

Les urolithiases (calculs urinaires)

Les urolithiases sont de petites pierres qui se retrouvent dans la vessie. Elles naissent de l'agglomération de cristaux microscopiques, le plus souvent des struvites, qui forment d'abord une sorte de sable. Ce problème touche principalement les femelles gestantes nourries avec de la nourriture sèche de mauvaise qualité (contenant beaucoup de protéines végétales).

Composées en partie de magnésium et de phosphate, les struvites cristallisent facilement dans une urine alcaline dont le pH est supérieur à 6,4. Le pH de l'urine dépend beaucoup des sortes de protéines consommées.

Normalement, l'urine des carnivores est acide (régime alimentaire composé de protéines animales), mais elle est alcaline chez l'animal qui se nourrit de protéines végétales. Les nourritures sèches à base de végétaux (par exemple le maïs) favorisent donc le problème.

Les urolithiases et le sable urinaire sont très irritants pour la vessie. Souvent, il y a du sang dans l'urine. Le furet fait des efforts pour uriner et se tient le dos arqué. De l'urine souille parfois les poils autour des organes génitaux et le furet lèche fréquemment ces endroits. Il se peut aussi qu'un bouchon de débris ou qu'un calcul bloque l'urètre. L'urine ne pouvant plus s'écouler, la vessie se distend excessivement et le furet risque d'en mourir. Il faut donc introduire rapidement un cathéter dans la vessie du furet malade et lui prodiguer des soins spécialisés.

On établit le diagnostic grâce à une radiographie, une analyse d'urine et une palpation abdominale.

Un régime de bonne qualité à base de protéines animales et des antibiotiques sont généralement suffisants pour régler les cas mineurs de sable urinaire. Une chirurgie et l'hospitalisation sont nécessaires pour ceux qui ont des calculs.

Remarques

- Les régimes conçus pour faire fondre les cristaux urinaires chez les chats (Science Diet S/D) ne sont pas recommandés aux furets. Leur teneur en protéines n'est pas suffisante et ils ne semblent pas donner d'aussi bons résultats que chez les chats. De plus, le goût du produit ne plaît pas nécessairement aux furets.
- Ne donnez jamais à votre furet de la nourriture sèche de bas de gamme pour les chats ni de la nourriture sèche pour les chiens : elles contiennent trop de protéines végétales.
- Une infection urinaire peut contribuer à alcaliniser l'urine et provoquer l'apparition de sable urinaire et de calculs.
- Certains furets boivent leur urine. Ce comportement peut parfois être associé à un problème médical (maladie rénale, infection de la vessie, tumeur de la glande surrénale). Une analyse sanguine permettra de déterminer si le problème est d'origine pathologique ou simplement comportemental.

Les kystes rénaux

Parfois, à l'examen d'un furet, le vétérinaire découvre un ou plusieurs kystes sur un rein ou sur les deux. On estime que de 10 à 15 % des furets ont des kystes qui ne nuisent pas à leur santé. La cause de leur présence n'est pas connue. Parfois, mais rarement, les deux reins sont farcis de kystes. Le décès de l'animal survient à la suite d'une défaillance rénale. Cette maladie est incurable.

Les ulcères gastriques

Les ulcères gastriques sont souvent associés à la bactérie *Helicobacter mustelae.* Plusieurs furets en sont porteurs et développent la maladie sous l'effet du stress (mauvaises conditions de captivité, mauvaise alimentation, chirurgie, cancer ou infections).

Les symptômes de l'ulcère sont :
- une diminution de l'appétit ;
- des fèces molles et noires ;
- des vomissements intermittents ;
- des grincements de dents ;
- un amaigrissement ;
- une hypersécrétion de salive ;
- fièvre.

On établit le diagnostic grâce à une biopsie. De nouveaux tests sanguins et de liquide gastrique sont aussi disponibles. Les furets peuvent recevoir un traitement aux antibiotiques. Il est important que cette bactérie soit éliminée, car sa présence peut provoquer un cancer de l'estomac chez certains furets.

Voici d'autres causes d'ulcères :
- irritation par un corps étranger (exemple boule de poils) ;
- produits chimiques ingurgités accidentellement ;
- certains médicaments ;
- cancer de l'estomac ;
- complications d'une maladie rénale.

En haut: furet argenté avec marques blanches
En bas: furet chocolat avec marques blanches

Furets albinos

À gauche: furet zibeline
Au centre et à droite: furets chocolat

La maladie proliférative de l'intestin

La bactérie *Lawsonia intracellularis* est responsable de l'irritation chronique de l'intestin de certains jeunes furets âgés de 10 à 16 semaines. Elle cause une diarrhée parfois foncée, parfois verte, muqueuse ou sanguinolente. Certains furets sont incommodés par un prolapsus du rectum et plusieurs se plaignent au moment de faire leurs besoins. Laissé sans traitement, le furet maigrit, devient faible et apathique. Le stress (mauvaise alimentation, mauvaises conditions de captivité) déclenche souvent la maladie. Heureusement, un antibiotique (chloramphénicol) est efficace, mais il faut agir vite, sinon le furet peut mourir. De nos jours, la maladie est de plus en plus rare, car la majorité des furets ont la chance de vivre dans d'excellentes conditions de captivité.

Remarque

- *Lawsonia intracellularis* cause également des infections intestinales chez le porc et le hamster. Chez le hamster, la maladie est connue sous le nom de *wet tail.*

La gastrite éosinophilique

Une maladie inflammatoire du système digestif du furet est causée par l'infiltration anormale de certains leucocytes (éosinophiles) dans la paroi intestinale. La cause de la maladie demeure encore obscure.

Les symptômes du furet malade sont:
- une diarrhée chronique avec ou sans mucus ou sang;
- une importante perte de poids;
- des vomissements;
- l'anorexie.

Le furet malade réagit généralement bien à l'administration de corticostéroïdes.

La myosite disséminée

Cette maladie n'a été décrite que récemment (2003). La condition est le plus souvent fatale et est caractérisée par une inflammation sévère et généralisée des muscles (squelettiques, cardiaques et du système digestif). Tous les cas rapportés à ce jour (environ une vingtaine) touchent de jeunes furets (âgés entre cinq et douze mois).

Pour l'instant, cette maladie est très mystérieuse. Sa cause demeure encore inconnue.

Les symptômes progressent rapidement ou lentement selon les individus et incluent:
- la fièvre;
- la somnolence;
- une perte d'appétit;
- une faiblesse;
- la difficulté et le refus de bouger;
- une douleur manifeste lors des manipulations;
- de gros ganglions.

Aucun traitement spécifique n'est disponible. Seuls des soins de soutien aident un peu le furet atteint de myosite disséminée. Votre vétérinaire vous informera sur les plus récents développements concernant cette maladie.

Les zoonoses

Les zoonoses sont des maladies que les animaux peuvent transmettre aux humains, mais il est très peu probable que les furets domestiques vous rendent malade, car ils sont élevés dans des conditions sanitaires adéquates, à l'abri des infections graves. Si toutefois vous aviez des doutes à propos de votre état de santé, n'hésitez pas à consulter votre médecin et à faire examiner votre furet par un vétérinaire. Il est important de déterminer si vos malaises sont réellement causés par votre animal. Il va sans dire que le furet gardé constamment à l'extérieur ou qui consomme de la viande crue est plus exposé aux agents infectieux et risque davantage de contracter des maladies qu'il pourrait vous transmettre. Certaines zoonoses sont bénignes, d'autres sont graves. Si l'une des maladies suivantes est diagnostiquée chez votre animal (ou si l'un des agents infectieux l'affecte), respectez des règles d'hygiène particulières; votre vétérinaire pourra vous informer et vous guider dans vos décisions:

Les zoonoses du furet et les symptômes chez l'humain

- Puces: piquent l'humain à l'occasion, mais préfèrent les animaux.
- Mites d'oreilles: se transmettent par contact direct.
- Gale sarcoptique: occasionne de fortes démangeaisons cutanées.
- Ver à crochet (*Ancylostoma caninum*), ver intestinal du furet: chez l'humain, les larves peuvent migrer dans la peau, les viscères ou le globe oculaire.
- Ver rond (*Toxacara sp.*), ver intestinal du furet: chez l'humain, les larves migrent dans les viscères ou le globe oculaire.
- *Cryptosporidium*: occasionne des diarrhées plus ou moins sévères. Particulièrement inquiétant chez les sidéens.
- *Campilobacter*: cause la diarrhée.
- *Helicobacter*: cause des ulcères gastriques.
- Salmonelle: cause la diarrhée.
- *Listeria*: peut provoquer une méningite.
- *Giardia*: cause la diarrhée.
- Ver du cœur (*Dirofilaria immitis*): chez l'humain, des larves peuvent migrer dans les tissus pour causer des granulomes aux poumons ou ailleurs.
- Tuberculose (*Mycobacterium avium, Mycobacterium bovis, Mycobacterium tuberculosis*): cause surtout des infections respiratoires, rarement des infections du système digestif.
- Teigne (*Trichophyton, Microsporum*): cause des lésions cutanées.
- Influenza: c'est le rhume classique.
- Rage: maladie mortelle qui attaque le système nerveux.
- Ver intestinal plat (*Dipylidium caninum*): transmissible surtout aux enfants.

La convalescence

Si votre furet a subi une chirurgie majeure ou s'il est atteint d'une maladie, il peut devenir anorexique. Si ce refus de s'alimenter perdure, les cellules du foie commenceront à se détruire et cela pourrait lui être fatal. L'anorexie cause aussi une hypoglycémie grave, surtout chez les furets qui souffrent d'une tumeur du pancréas.

Assurez-vous que votre animal se nourrit adéquatement durant sa convalescence.

Pour le furet qui s'alimente encore seul, vous pouvez procéder comme suit :

- Détrempez de la nourriture sèche ordinaire avec de l'eau tiède. Cette nourriture hydratée est plus appétissante pour le furet capricieux. Les croquettes sont servies soit amollies, soit réduites en purée.
- Ajoutez du Nutripet, du Nutrical ou du gras de poulet sur cette nourriture gonflée pour en rehausser la saveur. Du bouillon de poulet ou de bœuf peut aussi faire l'affaire. Utilisez un produit sans sel.
- La nourriture en conserve de bonne qualité est très appréciée par les furets. Choisissez de la nourriture pour chatons, Maximum-Calorie de Iams ou Science Diet A/D de Hill's (vendus chez votre vétérinaire).
- On peut ajouter temporairement du lait ou de la crème à la nourriture. Ces produits sont de bonnes sources de protéines et de matières grasses. Chez certains furets, les produits laitiers ramollissent les fèces. Cette diarrhée physiologique (non pathologique) inoffensive est favorisée par le peu de lactase (enzyme responsable de la digestion des produits laitiers) dans l'intestin du furet. Tout revient à la normale lorsque le furet cesse de consommer ces aliments.

Pour le furet qui ne veut pas s'alimenter seul, mais qui accepte d'être nourri à la cuillère, à la seringue ou au compte-gouttes, préparez l'une ou l'autre des recettes suivantes :

1.

125 ml (½ tasse)	Nourriture sèche détrempée
30 ml (2 c. à soupe)	Nutrical ou Nutripet (ou toute autre gâterie)
60 ml (4 c. à soupe)	Boisson calorique Ensure à la vanille ou aux fraises (ou tout autre supplément énergétique), mais n'utilisez jamais le produit au parfum de chocolat
Au besoin	Pédialyte ou Gastrolyte[7]

Mélangez bien les trois premiers ingrédients au robot. Ajoutez assez de Pédialyte ou de Gastrolyte pour obtenir une consistance de pouding.

2.

1 boîte	Science Diet A/D de Hill's
125 ml (½ tasse)	Pédialyte ou Gastrolyte
60 ml (4 c. à soupe)	Crème à fouetter

Passez les ingrédients au robot. Vous pouvez ajouter de la nourriture sèche détrempée au mélange. Le Science Diet A/D peut être remplacé par de la purée de viande pour bébé. Ajoutez à votre guise un peu de Nutripet ou de Nutrical (ou toute autre gâterie).

---

7. Vendus dans les pharmacies, ces produits contiennent des électrolytes et sont conçus pour les humains.

3.

1 boîte	Ensure ou autre supplément énergétique similaire (évitez les produits au chocolat)
250 ml (1 tasse)	Pédialyte ou Gastrolyte
125 ml (8 c. à soupe)	Nourriture sèche détrempée dans l'eau
125 ml (8 c. à soupe)	Purée de viande et de banane pour bébé

Mélangez tous les ingrédients au robot.

Ces préparations se conservent 48 heures au réfrigérateur. Congelez les surplus dans un bac à glaçons et mettez les cubes dans des sacs à congélation ou dans un plat hermétique. Décongelez simplement la quantité nécessaire au fur et à mesure. Servez cet aliment tiède.

Vous pouvez modifier la consistance de la nourriture: faites-la plus liquide lorsque vous la servez à la seringue; ajoutez plus de nourriture sèche pour obtenir une texture plus solide lorsque le furet commence à manger seul.

Le furet anorexique devrait consommer au moins 90 ml (3 oz) d'aliment liquide par 500 g (1 lb) de poids corporel. Divisez cette quantité en trois à six repas par jour.

Diminuez graduellement la quantité et la fréquence des repas liquides à mesure que le furet retrouve son appétit pour sa nourriture ordinaire.

4.

Poudre Carnivore Care (Oxbow)
Eau

Ajoutez assez d'eau à la poudre Carnivore Care afin d'obtenir la consistance d'un pouding. Une fois reconstitué, l'aliment se garde 24 heures au réfrigérateur. Cependant, il est conseillé de préparer un mélange frais à chaque repas.

Le Carnivore Care est un tout nouveau produit spécialement conçu pour nourrir les carnivores anorexiques ou pour offrir un supplément à

ceux qui ne s'alimentent pas adéquatement. Il renferme des protéines de qualité qui ont bon goût et sont facilement digestibles. Il se compose ainsi :
- 48 % de protéines ;
- 33 % de matières grasses ;
- 5 % de fibres.

Les cinq premiers ingrédients sont : œufs entiers séchés, volaille, porc, huile de poisson, carbonate de calcium.

La poudre Carnivore Care est offerte chez votre vétérinaire seulement.

Pour le furet qui refuse de s'alimenter seul ou de se faire nourrir à la seringue ou à la cuillère

On peut installer un tube œsophagien à un furet malade et faible. La procédure chirurgicale est simple et consiste à faire passer un tube par le cou jusque dans l'estomac. Ainsi, vous n'aurez plus à forcer l'animal à se nourrir : il suffira d'injecter de la nourriture liquide pas le tube. Celui-ci est installé en permanence durant la convalescence ; on l'enlève quand le furet recommence à manger seul. Cette technique atténue beaucoup les problèmes associés à l'anorexie complète (dégénérescence graisseuse du foie, mauvais état général) et aide certains individus à se rétablir malgré des complications. Une autre technique consiste à poser une sonde nasogastrique (le tube passe par une narine et descend par la gorge dans l'estomac), mais elle incommode parfois l'animal.

Pour une convalescence heureuse...

- Isolez le furet dans un endroit calme et tempéré (20 à 25 °C).
- Assurez-vous qu'il mange. Faites-le boire au compte-gouttes si nécessaire. Le Pédialyte ou le Gastrolyte peut avantageusement remplacer l'eau. N'oubliez pas que, si vous offrez un aliment liquide (voir recettes précédemment), votre furet boira moins.

- Si votre furet est frileux, installez un coussin chauffant ou une bouillotte sous la cage. Ne les mettez pas à l'intérieur, car le furet pourrait les mâchouiller. Attention au coussin chauffant électrique, qui peut occasionner des brûlures.
- Dans le cas de blessures ou d'opérations, maintenez les plaies propres et vérifiez quotidiennement les points de suture.
- Nettoyez la cage fréquemment.
- Administrez les médicaments selon la posologie, jusqu'à la fin du traitement.
- N'hésitez pas à communiquer avec votre vétérinaire pour toutes questions sur l'état de santé de votre animal.

CARNET DE SANTÉ

Photographie de votre furet	Nom de votre furet : _____

Nom de votre furet : _____

Date de naissance : _____

Sexe : _____

Couleur : _____

Marques particulières : _____

Nom de son vétérinaire : _____

Adresse de la clinique : _____

_____

_____

_____

Numéro de téléphone
de la clinique : _____

FICHE MÉDICALE

Visites chez le vétérinaire :

Date	Poids	Diagnostic, traitements, recommandations

CARNET DE VACCINATION
CONTRE LA MALADIE DE CARRÉ

Date	Âge du furet	Nom du vaccin	Date du rappel

CARNET DE VACCINATION
CONTRE LA RAGE

Date	Âge du furet	Nom du vaccin	Date du rappel

CHAPITRE 9

Un nom pour votre furet

Abigaël	Caramel	Ernest	Jacomo
Acacia	Carlos	Félix	Jade
Adèle	Carmen	Fiona	Jérémie
Aki	Casper	Firmin	Jimmy
Alex	Cassis	Frimousse	Joséphine
Alphée	Champagne	Frip	Junior
Aramis	Chanel	Frisette	Kaiser
Balou	Charlie	Frisson	Kali
Bandit	Charlot	Fritz	Katou
Bécassine	Chiffon	Fusain	Kelly
Becky	Chispita	Gamin	Kiki
Ben	Chiva	Gamine	Kiwi
Bianca	Ciboulette	Gaston	Kouki
Billy	Cloé	Geisha	Kovou
Blaise	Coco	Georges	Kristel
Bob	Coquette	Gino	Laïse
Boubou	Coquin	Gizmo	Lili
Bouddha	Coquine	Goglu	Loulou
Bouton	Cypolin	Gustave	Mammouth
Buddy	Daisy	Henri	Mamour
Bulle	Dixie	Hobo	Maurice
Calico	Écho	Horace	Max
Cammy	Elsa	Iris	Maya
Capucine	Émilie	Jack	Mélita

Micha	Oscar	Rica	Toby
Mickey	Pacha	Robert	Tom
Mik	Papousse	Ronie	Topaz
Mimi	Pappy	Sam	Toudou
Mini	Patou	Sammy	Trixie
Mistigri	Pedro	Saphir	Vanille
Moka	Picasso	Scott	Veda
Mollie	Pik	Sésame	Virgule
Mouska	Pistache	Skippy	Willy
Mousse	Pixie	Stuart	Windy
Muffin	Plouf	Sushi	Yaki
Mushi	Pluton	Tacha	Yan
Nellie	Pollux	Tammy	Zak
Nik	Poutchie	Tatou	Zazette
Octave	Pralina	Théo	Zelda
Olivier	Puce	Ti-Pou	Zirba
Omar	Radja	Tison	Zora
Oréo	Ralf	Tito	

Conclusion

Furet aux pieds noirs

Le furet aux pieds noirs (*Mustela nigripes*) est un cousin du furet domestique (*Mustela putorius furo*). Ce sont les deux seuls membres du groupe des furets.

On estime qu'au début du XXe siècle plus de 500 000 furets vivaient dans les grandes plaines de l'ouest de l'Amérique du Nord, en étroite relation avec les chiens de prairie, qui composaient plus de 90 % de leur alimentation.

Les ancêtres du furet aux pieds noirs ont probablement profité de la période de glaciation du pléistocène (entre 100 000 ans et 1 million d'années) pour passer du nord-est de l'Asie à l'Amérique du Nord. À cette époque, le bas niveau des océans révéla une bande de terre dans la mer de Behring, qui réunit provisoirement les deux continents. Une fois sur le continent nord-américain, les furets se dispersèrent vers le sud-ouest du Canada et les prairies des États-Unis. Ils se nourrissaient de chiens de prairie et vivaient dans leurs terriers.

Au début du XXe siècle, les fermiers empoisonnèrent et chassèrent les chiens de prairie pour agrandir leurs terres ; par la suite, les populations de furets déclinèrent. En 1964, il n'y avait plus qu'une centaine de furets aux pieds noirs au sud du Dakota. Les efforts des biologistes et des écologistes pour protéger ces animaux furent vains.

En 1974, le furet aux pieds noirs fut inscrit sur la liste des espèces en danger d'extinction. Jusqu'en 1981, on le crut éteint, mais un jour, au Wyoming, un chien rapporta à son maître la carcasse d'un animal étrange. Le fermier fit appel à des biologistes qui furent très surpris de constater qu'il s'agissait d'un furet aux pieds noirs. Au grand plaisir de tous, une colonie de furets fut découverte près de la ferme.

Entre 1982 et 1984, au grand bonheur des biologistes, la population de furets atteignit environ 130 individus. Hélas, à l'été 1985, la peste bubonique décima les chiens de prairie. Privés de leur principale source de nourriture, les furets déclinèrent encore une fois. En octobre 1985, on captura des furets pour les faire se reproduire, mais, comble de malchance, ils moururent tous quelques jours plus tard de la maladie de Carré (*distemper*). On dut prendre une décision difficile: laisser les derniers furets dans la nature avec l'espoir qu'ils survivraient ainsi, ou les capturer tous et tenter de les faire se reproduire. On choisit la seconde solution.

Entre 1985 et 1987, on captura 18 individus (7 mâles et 11 femelles). Cette fois-ci, la reproduction fut un succès. En 1987, 7 petits survécurent; en 1988, il y en eut 34. On décida alors de disperser la colonie pour atténuer les conséquences d'éventuelles maladies contagieuses. Du centre de réhabilitation du Wyoming, on envoya des furets dans plusieurs zoos, dont celui de Toronto.

À partir de 1991, on tenta plusieurs fois de réintroduire le furet aux pieds noirs dans la nature, mais la prédation des coyotes et des blaireaux contrecarra les efforts. À l'automne 1995, le dernier furet aux pieds noirs sauvage mourut.

Il n'existe donc plus d'individus nés à l'état sauvage. Subsistent seulement leurs descendants nés en captivité. Plusieurs tentatives de réintroduction dans leur milieu naturel sont effectuées. Espérons qu'un jour les furets aux pieds noirs retrouveront leurs prairies natales.

Renseignements généraux

Nom français : furet aux pieds noirs ou putois d'Amérique.

Nom anglais : *Black footed ferret.*

Nom latin : *Mustela nigripes.*

Poids adulte : 450 g à 1,2 kg (1 à 2 ½ lb) ; le mâle est environ 10 % plus gros que la femelle.

Longueur du corps : 45 à 60 cm (18 à 24 po).

Longueur de la queue : 10 à 12,5 cm (4 à 5 po).

Gestation : 42 à 45 jours.

Naissance : mai ou juin.

Nombre de petits par portée : 1 à 6.

Caractéristiques du petit à la naissance : glabre, aveugle, de la taille d'une souris.

Sevrage : l'automne suivant la naissance. Le petit quitte la mère et va établir son propre territoire.

Remarques

- Le furet aux pieds noirs est solitaire, sauf en période de reproduction. Une fois accouplée, la femelle ne fréquente plus le mâle et s'occupe de sa progéniture.
- Le furet aux pieds noirs ressemble à son cousin domestique, mais il a les pattes plus larges, la queue plus cylindrique, le museau moins pointu, les yeux plus grands, les oreilles plus larges et trapues, une petite tache blanche au-dessus du coin interne des yeux.

- Les terriers des chiens de prairie offrent un refuge aux furets contre les prédateurs. Ils les protègent aussi du froid et des chaleurs extrêmes. Les femelles y mettent bas.
- Les chiens de prairie pourchassés dans leurs galeries par un furet ont parfois le réflexe d'enterrer rapidement l'entrée du terrier pour emprisonner l'ennemi à l'intérieur. Cette manœuvre est inefficace, car le furet est un fouisseur habile.
- Autrefois, l'aire de répartition de ce furet allait du sud de l'Alberta et de la Saskatchewan jusqu'au centre du Texas, au nord-est du Dakota, au sud-est du Montana et dans le Wyoming.
- Aujourd'hui, aucune colonie de furets sauvages indigènes n'est connue. Seuls les individus réintroduits sont présents dans la nature.

Bibliographie

THE AMERICAN FERRET ASSOCIATION. *American ferret report: 1996 Special Edition*, Annapolis, 1996.

———. *Proceedings. Eighth small mammal veterinary conference*, 1996.

———. *Proceedings. Ninth small mammal veterinary conference*, 1997.

———. *Proceedings. A comprehensive veterinary symposium: Management of the ferret*, 1998.

ANTINOFF, N. «Urinary disorders in ferrets», *Seminars in Avian and Exotic Pet Medicine,* vol. 7, n° 2, 1998, p. 89-92.

ANTINOFF, N., M. BURGESS, et M. GARNER. «A review of diseases of the ferret», *Exotic DVM,* vol. 2, n° 2, 2000, p. 33-40.

BARTLETT, Lucy W. «Renewed libido: Early sing of adrenal disease?», *Exotic DVM,* vol. 1, n° 1, 1999, p. 31.

BEEBER, Neal L. «Abdominal surgery in ferrets», *Veterinary Clinics of North America: Exotic Animal Practice,* vol. 3, n° 3, 2000, p. 647-662.

BELL, Judith A. «Parasites of domesticated pet ferrets», *Comp. Cont. Educ. Pract. Vet.,* vol. 16, n° 5, 1994, p. 617-620.

———. «Ferret nutrition», *Veterinary Clinics of North America: Exotic Animal Practice,* vol. 2, n° 1, 1999, p. 169-192.

BENNETT, R. A. «Ferret endocrine surgery», *The North American Veterinary Conference Proceedings,* 2003, p. 1242-1244.

BERNARD, S. L., J. R. GORHAM, et L. M. RYLAND, «Biology and Diseases of Ferrets», dans Fox, James G., Bennett J. Cohen et Franklin M. Loew, *Laboratory Animal Medicine*, St.Louis, Academic Press, 1984.

BESCH-WILLIFORD, Cynthia L. «Biology and medicine of ferret», *Veterinary Clinics of North America: Small Animal Practice*, vol. 17, nº 5, 1987, p. 1155-1183.

BLAZE, Elzéar. *Le Chasseur au chien d'arrêt*, Paris, Moutardier, 1836.

BOUSSARIE, D. *Le point vétérinaire*, vol. 30 (numéro spécial), 1999, p. 59-66.

BRADLEY, Teresa et autres. «Selected drugs for ectoparasite control in exotic species», *Exotic DVM*, vol. 4, nº 1, 2002, p. 19-21.

BROCHIER, Jean-Jacques. *Anthologie du lapin*, Paris, Hatier, 1987, p. 106-115.

BROWN, Susan. «Preventive health program for the domestic ferret», *Journal of Small Exotic Animal Medicine*, vol. 1, nº 1, 1993, p. 6-10.

————. «Clinical techniques in domestic ferrets», *Seminars in Avian and Exotic Pet Medicine*, vol. 6, nº 2, 1997, p. 75-85.

BROWN, Susan A., et Karen L. ROSENTHAL. *Self-assessment color review of small mammals*, Ames, Iowa State University Press, 1997.

BUCSIS, Gerry, et Barbara SOMERVILLE. *The Ferret Handbook*, New York, Barron's, 2001.

BURGESS, M., et M. GARNER. «Clinical aspects of inflammatory bowel disease in ferrets», *Exotic DVM*, vol. 4, nº 2, 2002, p. 29-34.

CARPENTER, James W., Ted Y. MASHIMA, et David J. RUPIPER. *Exotic Animal Formulary*, Saunders, 2001.

CONN, Max. «Resolution of chronic conjunctivitis in a ferret with a naso-lacrimal duct obstruction», *Exotic DVM*, vol. 6, nº 1, 2004, p. 16-18.

COOPER, J. E., et A. W. SAINSBURY. *Self-assessment picture tests in veterinary medicine*, Mosby-Wolfe, 1995.

COURT, M. H. «Acetaminophen UDP-glucuronosyltransferase in ferrets: Species and gender differences, and sequence analysis of ferret UGT1A6», *J. Vet. Pharmacol. Ther.*, vol. 24, n° 6, 2001, p. 415-422.

DAVIDSON, Michael. «Canine distemper virus infection in the domestic ferret», *Comp. Cont. Educ. for Pract. Vet.*, vol. 8, n° 7, 1986, p. 448-453.

DUTTON, Michael A. «Food allergy in a ferret», *Exotic Pet Practice*, vol 3, n° 5, 1998, p. 39.

————. «Case studies on Doxorubicin for the treatment of ferret insulinoma», *Exotic Mammal Veterinarians*, vol. 2, n° 1, 2004, p. 1-5.

————. «Histopathologic changes in an islet cell tumor after Doxorubicin chemotherapy in a ferret», *Exotic Mammal Veterinarians*, vol. 2, n° 1, 2004, p. 5-7.

Ferrets USA: 1997 annual.

Ferrets USA: 1998 annual.

Ferrets USA: 1999 annual.

Ferrets USA: 2000 annual.

Ferrets USA: 2001 annual.

Ferrets USA: 2002 annual.

Ferrets USA: 2003 annual.

FISHER, Peter G. «Esophagostomy feeding tube placement in the ferret», *Exotic DVM*, vol. 2, n° 6, 2000, p. 23-25.

————. «Urethrostomy and penile amputation to treat urethral obstruction and preputial masses in male ferrets», *Exotic DVM*, vol. 3, n° 6, 2001, p. 21-25.

FOX, James. *Biology and Diseases of the Ferret,* 2ᵉ éd., Lippincott Williams and Wilkins, 1998.

FOX, James G. et MARINI Robert P. « *Helicobacter mustelae* Infection in ferrets : Pathogenesis, Epizootiology, Diagnosis, and treatment », *Seminars in avian and Exotic Pet Medicine,* vol. 10, nᵒ 1, 2001, p. 36-44.

FRASER, C. M., J. A. BERGERON, et S. E. AIELLO. «Fur, Laboratory and Zoo animals», dans *The Merck Veterinary Manual,* 7ᵉ éd., Whitehouse Station, Merck and Co., Inc., 1991, p. 976-1087.

FUDGE, Alan M. *Laboratory Medicine: Avian and Exotic Pets,* Saunders, 2000.

GARCIA, A. et autres. «Hepatobiliary inflammation, neoplasia, and argyrophilic bacteria in a ferret colony», *Vet. Pathol.,* vol. 39, nᵒ 2, 2002, p. 173-179.

GARNER, Michael. «Focus on diseases of ferrets», *Exotic DVM,* vol. 5, nᵒ 3, 2003, p. 75-80.

GÖBEL, Thomas. «Bacterial diseases and antimicrobial therapy in small mammals», suppl. *Comp. Cont. Educ. Pract. Vet.,* vol. 21, nᵒ 3, 1999, p. 5-20.

GOETT, Scott D., et Daniel A. DEGNER. «Suspected adrenocortical insufficiency subsequent to bilateral adrenalectomy in a ferret», *Exotic DVM,* Vol 5, nᵒ 1, 2003.

HARMS, Craig A. et autres. «Epidural analgesia in ferrets», *Exotic DVM,* vol. 4, nᵒ 3, 2002, p. 40-42.

HENDRICK, M. J., et M. H. GOLDSCHMIDT. «Chondrosarcoma of the tail of ferrets (*Mustela putorius furo*)», *Vet. Pathol.,* vol. 24, nᵒ 3, 1987, p. 272-273.

HILLYER, Elizabeth V., et Katherine E. QUESENBERRY. *Ferrets, Rabbits and Rodents: Clinical Medicine and Surgery*, Saunders, 1997.

HOEFER, Heidi L. «Cardiac diseases in ferrets», *Veterinary Proceedings, The North American Veterinary Conference*, 1995, p. 577-578.

―――. «Gastrointestinal diseases of ferrets», *Veterinary Proceedings, The North American Veterinary Conference*, 1995, p. 579-580.

HRAPKIEWICZ, Karen, Leticia MEDINA, et Donald D. HOLMES. «Ferrets», dans *Clinical Laboratory Animal Medicine*, 2ᵉ éd., Blackwell Publishing, 1998.

IVEY, Evelyn, et James MORRISEY. «Ferrets: Examination and preventive medicine», *Veterinary Clinics of North America Exotic Animal Practice*, vol. 2, n° 2, 1999, p. 471-493.

JENKINS, Christine C., et James R. BASSETT. «Helicobacter infection», *Comp. Cont. Educ. Pract. Vet.*, vol. 19, n° 3, 1997, p. 267-279.

JOHNSON, Dan. «Clinical use of cryosurgery for ferret adrenal gland removal», *Exotic DVM*, vol. 4, n° 3, 2002, p. 71-73.

JOHNSON-DELANEY, Cathy A. «A guide to potential zoonoses of exotic pets», *Topics in Veterinary Medicine*, vol. 5, n° 2, 1994, p. 28-32.

―――. «Zoonotic parasites of selected exotic animals», *Seminars in Avian and Exotic Pet Medicine*, vol. 5, n° 2, 1996, p. 115-122.

―――. *Exotic Companion Medicine Handbook for Veterinarians*, Lake Worth, Wingers Publishing, 1997.

―――. «Small mammal endocrinology», *Proceedings, Association of Avian Veterinarians - Small Mammals and Reptile Program*, 1998, p. 99-113.

―――. «Small mammal haematology», *Proceedings, Association of Avian Veterinarians - Small Mammals and Reptile Program*, 1998, p. 83-89.

———. «Small mammal lymphatic system and disease», *Proceedings, Association of Avian Veterinarians – Small Mammals and Reptile Program,* 1998, p. 91-98.

———. «Ferret adrenal disease: Alternatives to surgery», *Exotic DVM,* vol. 1, n° 4, 1999, p. 19-22.

———. «Update on use of Leuprolide acetate», *Exotic DVM,* vol. 3, n° 5, 2001, p. 13.

———. «Update on ferret adrenal research», *Exotic DVM,* vol. 4, n° 3, 2002, p. 61-64.

KAWASAKI, Thomas. «Creatinine unreliable indicator of renal failure in ferrets», *Journal of Small Exotic Animal Medicine,* vol. 1, n° 1, 1991, p. 28-29.

KELLEHER Susan A. *Skin diseases of Ferrets, Seminarsin avian and Exotic Pet Medicine,* vol 11, n° 3, 2002, p. 136-140.

KENDRICK, Roger E. «Ferret respiratory diseases», *Veterinary Clinics of North America Exotic Animal Practice,* vol. 3, n° 2, 2000, p. 453-464.

KRAMER, Marc. «Aural mass in a ferret», *Exotic DVM,* vol. 4, n° 5, 2002, p. 19.

LAND, Bobbye. *The Simple Guide to Ferrets,* TFH Publications, 2003.

———. *Your Outta Control Ferret,* TFH Publications, 2003.

LANGLOIS, Isabelle. «Les maladies des glandes surrénales chez les furets démystifiées», *Compendium du congrès de l'Académie de médecine vétérinaire du Québec,* 2003, p. 123-129.

LEWINGTON, John H. *Ferret Husbandry, Medicine, and Surgery,* Butterworth-Heinemann, 2000.

LIBERSON, A. J. et autres. «Mastitis caused by hemolytic Escherichia coli in the ferret», *Journal of the American Veterinary Medical Association,* vol. 183, n° 11, 1983, p. 1179-1181.

LLOYD, Maggie. *Ferrets: Health, Husbandry and Diseases,* Blackwell Science Ltd., 1999.

MAHER, John A., Johanne Destefano. «The Ferret: an animal model to study Influenza virus» *Lab animal,* vol 33, no 9, p. 50-53.

MCQUISTON, Jennifer H. et James E. CHILDS. «Rabies exposure and clinical disease in humans», dans *Rabies Guidelines for Medical Professionals,* Veterinary Learning System, 1999, p. 27-35.

MESSONNIER, Shawn. «Force-feed ferrets», *Exotic Pet Practice,* vol. 3, n° 5, 1998, p. 36.

MILLER, Paul E. «Ferret ophthalmology», *Seminars in Avian and Exotic Pet Medicine,* vol. 6, n° 3, 1997, p. 146-151.

MORRISEY, James K., James W. CARPENTER, et Christine M. KOLMSTETTER. «Restraint and diagnostic techniques for ferret», *Veterinary Medicine,* vol. 91, n° 12, 1996, p. 1084-1097.

MORTON, E. Lynn. *Ferrets: Complete pet owner's manual,* New York, Barron's, 2000.

MULLEN, Holly S., et Neal L. BEEBER. «Miscellaneous surgeries in ferrets», *Veterinary Clinics of North America Exotic Animal Practice,* vol. 3, n° 3, 2000, p. 663-671.

MUNDAY, J. S., N. L. STEDMAN, et L. J. RICHEY. «Histology and Immunohistochemistry of Seven Ferret Vaccination-site Fibro-sarcomas», *Vet. Pathol.,* vol. 40, 2003, p. 288-293.

MURRAY, Michael J. «Ferret geriatrics», *Western Veterinary Conference Notes,* 2002, p. 1288-1289.

————. «Laparoscopy in the domestic ferret», *Exotic DVM*, vol. 4, n° 3, 2002, p. 65-69.

ORCUTT, Connie. «Emergency and critical care of ferrets», *Veterinary Clinics of North America Exotic Animal Practice*, vol. 1, n° 1, 1998, p. 99-125.

————. «Oxyglobin administration for the treatment of anemia in ferrets», *Exotic DVM*, vol. 2, n° 3, 2000, p. 44-46.

————. «Treatment of urogenital disease in ferrets», *Exotic DVM*, vol. 3, n° 3, 2001, p. 31-37.

————. «Update on Oxyglobin use in ferrets», *Exotic DVM*, vol. 3, n° 3, 2001, p. 29-30.

OTTO, Glen, William D. ROSENBLAD, et James G. FOX. «Practical venipuncture techniques for the ferret», *Laboratory Animals*, vol. 27, 1993, p. 26-29.

OXENHAM, Michael, «Ferrets», dans Beynon, Peter H. et John E. Cooper, *Manual of Exotic Pets*, British Small Animal Veterinary Association, 1991, p. 97-108.

PAUL-MURPHY, Joanne. «Ferret imaging studies», *The North American Veterinary Conference Proceedings*, 2003, p. 1248-1249.

————. «Neoplasia: Where do you find treatment information for small mammals?», *The North American Veterinary Conference Proceedings*, 2003, p. 1250-1251.

PIÉRARD, Jean. *Mammalogie: Mammifères du Québec*, Saint-Constant, Broquet, 1983, p. 27-28.

PYE, G. «Ferret basics», *The North American Veterinary Conference Proceedings*, 2003, p. 1257-1258.

QUESENBERRY, Katherine. «Gastrointestinal diseases of ferrets», *Compendium du congrès de l'Académie de médecine vétérinaire du Québec,* 2000, p. 272-277.

———. «The lethargic, bald ferret syndrome: Common endocrine diseases», *Compendium du congrès de l'Académie de médecine vétérinaire du Québec,* 2000, p. 278-284.

QUESENBERRY, Katherine E., et James W. CARPENTER. *Ferrets, Rabbits and Rodents: Clinical Medicine and Surgery,* 2ᵉ éd., Saunders, 2002.

RICHARDSON, J. A., et R. BALABUSZKO. «Managing ferret toxicoses», *Exotic DVM,* vol. 2, nᵒ 4, 2000, p. 23-26.

———. «Ibuprofen ingestion in ferrets», *Exotic DVM,* vol. 3, nᵒ 2, 2001, p. 3.

ROSENTHAL, Karen. «Ferret insulinoma», *Veterinary Proceedings, The North American Veterinary Conference,* 1995, p. 581.

———. «Ferret respiratory disease diagnosis», *Veterinary Proceedings, The North American Veterinary Conference,* 1995, p. 582-583.

———. «Vaccinate or not to vaccinate», *Ferrets,* janvier-février 2002, p. 36-39.

SCHILLING, Kim. *Ferrets for Dummies,* Wiley Publishing, 2000.

SCHOEMAKER, N. J. «New developments in research on hyperadrenocorticism in ferrets», *Exotic DVM,* vol. 2, nᵒ 3, 2000, p. 81-83.

———. «Hyperadrenocorticism in ferrets: An interpretive summary», *Exotic DVM,* vol. 6, nᵒ 1, 2004, p. 43-45.

SCHOEMAKER, N. J. et autres. «Plasma concentrations of adrenocorticotrophic hormone and alpha-melanocyte-stimulating hormone in ferrets *(Mustela putorius furo)* with hyperadrenocorticism», *Am. J. Vet. Res.,* vol. 63, nᵒ 10, 2002, p. 1395-1399.

SHELL, Linda G. «Canine distemper», *Comp. Cont. Educ. Pract. Vet.,* vol. 12, n° 2, 1990, p. 173-179.

SIKORA SIINO, Betsy. *The essential ferret,* Wiley Publishing, 1999.

STAMOULIS, Mark E. *Cardiac disease in Ferrets, Seminars in avian and Exotic Pet Medicine,* vol 4, n° 1, 1995, pl. 43-48.

TULLY, T., M. MITCHELL et J. HEATLEY. «Urethral catheterization of male ferrets: A novel technique», *Exotic DVM,* vol. 3, n° 2, 2001, p. 29-31.

VERSTRAELE, Frank J. M. «Advances in diagnosis and treatment of small exotic mammal dental disease», *Seminars in Avian and Exotic Pet Medicine,* vol. 12, n° 1, 2003, p. 37-48.

VILLENEUVE, Alain. *Les zoonoses parasitaires,* Les Presses de l'Université de Montréal, 2003.

WALLACH, Joel D., et William J. BOEVER. *Disease of Exotic Animals: Medical and Surgical Management,* Saunders, 1983.

WEISS, Charles. «Medical management of ferret adrenal tumors and hyperplasia», *Exotic DVM,* vol. 1, n° 5, 1999, p. 38-39.

―――. «Adrenal endocrinopathy in ferrets», *Western Veterinary Conference Notes,* 2003, p. 1287-1288.

―――. «Advanced surgical techniques for ferrets», *Western Veterinary Conference Notes,* 2003, p. 1281-1284.

―――. «Basic surgical techniques for ferrets», *Western Veterinary Conference Notes,* 2003, p. 1279-1280.

―――. «Insulinoma and diabetes in ferrets», *Western Veterinary Conference Notes,* 2003, p. 1285-1286.

WHEELER, Jason et R. A. BENNETT. «Ferret abdominal surgical procedure. Part 1. Adrenal gland and pancreatic beta-cell tumors», *Comp. Cont. Educ. Pract. Vet.,* vol. 21, n° 9, 1999, p. 815-822.

———. «Ferret abdominal surgical procedure. Part 2. Gastrointestinal foreign bodies, splenomegaly, liver biopsy, cystotomy and ovariohysterectomy», *Comp. Cont. Educ. Pract. Vet.,* vol. 21, n° 11, 1999, p. 1049-1063.

WILLARD, Thomas R. «Nutrition: Ferrets», *Exotic DVM,* vol. 4, n° 4, 2002, p. 36-37.

WILLIAMS, Bruce H. «Infectious diseases of ferrets», *Veterinary Proceedings, The North American Veterinary Conference,* 1995, p. 584-587.

———. «Therapeutics in ferrets», *Veterinary Clinics of North America Exotic Animal Practice,* vol. 3, n° 1, 2000, p. 131-153.

———. «Splenic rupture following palpation in a ferret», *Exotic DVM,* vol. 3, n° 4, 2001, p. 7-8.

———. «Clinical pathology interpretation for ferret», *Western Veterinary Conference Notes,* 2003, p. 1289-1290.

———. «Nonendocrine neoplasia in ferrets» *Western Veterinary Conference Notes,* 2003, p. 1291-1292.

———. «Gastrointestinal tract diseases in ferrets», *Western Veterinary Conference Notes,* 2003, p. 1293-1294.

———. «Infectious diseases in ferrets», *Western Veterinary Conference Notes,* 2003, p. 1295-1296.

WILLIAM, Bruce H., Peter G. FISHER, et T. L. JOHNSON. «Diffuse cutaneous telangiectasis in a ferret with adrenal-associated endocrinopathy», *Exotic DVM,* vol. 4, n° 2, 2002, p. 9.

Table des matières

Achevé d'imprimer au Canada
sur les presses des Imprimeries Transcontinental Inc.